ベリーズ文庫

没落令嬢は今日も王太子の溺愛に気づかない
～下町の聖女と呼ばれてますが、私はただの鑑定士です！～

藍里まめ

STARTS
スターツ出版株式会社

目次

美貌の王太子
ジェラール・
クリスト・バシュラルフ
グラデシア王国の優しく気高い王太子。
反王勢力・レオポルド派には
容赦ない姿勢を見せるなど冷酷な一面も。
オデットの気を引こうと日々策を練るものの、
どれも効果はイマイチで…!?
お忍び中の名前は「ジェイ」
出稼ぎ宝石鑑定士
オデット・ログストン
王都で宝石鑑定士として働く伯爵令嬢。
前世は日本人で、宝石にしみ込んだ
持ち主の想いを読む鑑定スキルを持つ。
稀有な力を持つことから
「下町の聖女」と呼ばれることも。
おっとりした性格で、恋愛事には超鈍感!

没落令嬢は今日も王太子の溺愛に気づかない

下町の聖女と呼ばれてますが、私はただの鑑定士です!

穏やかな店主

ブルノ

オデットが働くアンティーク
ショップ『カルダタン』の店主。
オデットの鑑定眼に一目
置いており、宝石の買取りは
すべて彼女に任せている。

頼れる親友

ルネ

コロンベーカリーの看板娘。
明るくさっぱりとした性格で、
オデットのよき友人。
恋人にプロポーズされ
幸せの絶頂だったけど…?

ブルノの孫

ロイ

オデットに恋する13歳。
突如現れた恋のライバル
「ジェイ」となにかと張り合う。
オデットにとっては
弟のようなかわいい存在。

カタブツな側近

カディオ

ジェラールの近侍。
王太子に対しても容赦がない。
隙をついては城を抜け出し
オデットに会いに行ってしまう
ジェラールに振り回され気味。

拝金主義な司教

バロ司教

リバルベスタ教会の司教。
呪われたジュエリーは、
彼にお祓いしてもらっている。
聖職者らしからぬ俗物的な面が
あり、ブルノとは飲み友達。

日本から来た聖女

サラ

伝説の聖女と同じく
黒い髪を持ち、異世界から
召喚されたという美女。
癒しの力で人々の怪我や病を
治してみせるが…?

没落令嬢は今日も王太子の溺愛に気づかない

～下町の聖女と呼ばれてますが、私はただの鑑定士です！～

王太子とエメラルドのブローチ

「本当にお売りになってよろしいのですか？」

やや目尻の垂れた翡翠色の瞳が、手元の真珠のネックレスを映している。

ブラウスとフレアスカートの上に深緑色のエプロンを着たオデット・ログストンは、宝飾品を主に取り扱うアンティークショップ『カルダタン』の宝石鑑定士。

肩までの栗色の髪にリボンつきの紺色カチューシャをした弱冠十七歳の少女だが、宝石の知識に長けていて、買い取り希望の客の対応をひとりでこなしていた。

艶やかな木目のカウンターを挟んで向かいに立つのは、中年の男性客。

ハンチング帽をかぶり直したその客が、残念そうに唸った。

「俺はネックレスをつけないから持っていても意味がないんだ。だが思ったより安かった。どうするか。他店をあたってみようか」

オデットが査定してつけた買い取り値は九千ゼニーで、この店で十時間働いてもらえる賃金程度。

男性客が駆け引きするような視線を向けてきたので、オデットは困り顔になる。

「先ほどお話ししましたように、真珠が小粒で巻きが薄く、いびつな玉も交ざっていますのでこれ以上の値はつけられないんです。ご希望に添えずすみません。でも私はとても素敵なネックレスだと思います。亡きお母様の想いがしみ込んでいますから」

先に売ってしまっていいのかと聞いた理由はそれである。

男性客は驚いてオデットの顔をまじまじと見た。

「俺、母親の形見だって言ってないよな。なんでわかった？」

（あなたを産んでよかった、楽しくて幸せな人生だったと、この方に感謝しているような母親の気持ちが伝わってきたから……）

「えーと……なんとなくです」

うまく説明できずに苦笑してごまかし、真珠のネックレスを丁重にケースに戻すと男性客に返した。

「真珠から強く感じるのは楽しい気持ちです。亡きお母様は朗らかでおしゃれな方。ご友人と遊びに行く際にこれを身につけていたんじゃありませんか？　お売りになるより身近な女性に譲ってはいかがでしょう。お出かけの際に使ってもらったら、真珠もお母様も喜ぶと思います」

「ああ、そうだな……」

亡き母を思い出しているかのように目を潤ませて何度も頷いた男性客は、大事そうにネックレスケースを鞄にしまうとオデットの提案通りにすると言って退店した。オデットは査定して値段をつけるだけでなく、宝石にしみ込んだ持ち主の想いを読めるという特殊能力を持っている。

宝石はジュエリーとしてのみならず守り石として贈られることもあり、相手の健康や幸福への願いが込められた石を鑑定すると、オデットも幸せな気持ちになれる。

一方で、石に呪いをかけて悪用する人もいて、オデットの稀有な能力はそれを見破るのにもってこいだ。

ネックレスを持ち帰ってもらえてよかったという気持ちでホッとし、白い綿手袋を外したら、後ろでドアが開いた音がした。

会計と査定に使っているL字カウンターの裏には木目のドアが二枚ある。

入り口に近い側のドアから出てきたのは店主のブルノだ。

清潔に整えられた短い髪は半分が白髪で、ワイシャツに紅茶色のベストを着て、襟には青瑪瑙をあしらったポーラータイを締めている。

丸メガネが似合う六十歳のブルノは、オデットの横に並ぶとカウンター周囲をキョロキョロと見回し、いつもの穏やかな口調で問いかけた。

「おや、さっきのお客さんの持ち込み品は？」

途端にオデットは焦りだす。

「ブルノさん、ごめんなさい。とても素敵な真珠のネックレスだったので、つい……」

「また説得して持ち帰らせたのか」

頷いて首をすくめたオデットに、ブルノはやれやれと言いたげに頭をかいた。

カルダタンの従業員はオデットひとりだけ。

オデットの特殊能力を『素敵な才能だ』と褒めてくれたブルノでも、商売にならないのは困りもののようである。しかしながら叱らずに、ハハと笑ってくれた。

「商売人としての才能はないが鑑定力は確かだ。〝下町の聖女〟と噂になりつつもあるしな」

この国には聖女が登場する童話があり、子供の頃に誰もが一度は読んだ経験があるだろう。

それは異世界からやってきた聖女が不思議な癒しの力で人々を病から救うというものので、オデットの鑑定力とはまったくの別物なのだが、顔なじみの近所の人たちから〝下町の聖女〟と呼ばれたことはあった。

冗談とはいえ、聖女にたとえられるほどオデットの能力は珍しく特殊なのだ。

オデットが返答に困って首をすくめたら、ブルノが目を細めた。

「オデットのおかげで助かっているよ。買い取るか買い取らないかは今後もオデットに任せるからよろしくな」

「ありがとうございます！」

小さな店内はノスタルジックな風合いだ。

横長のガラスのショーケースと木製棚、サイドテーブルが趣味よく配され、そこにジュエリーや銀食器、オルゴールや人形などの商品が陳列されている。

目がサファイアの木馬や文字盤にダイヤを埋め込んだ柱時計、クリスタルの女神像といった大きな品物は、床に敷いたビロードの上に置かれていた。

通りに面した窓際には猫脚の丸テーブルと布張り椅子が四脚あって、そこに腰かけたブルノが首を回しながら新聞を広げた。

奥の小部屋にこもってジュエリーの修理をしたり磨いたりといった集中力のいる仕事が多いブルノは、いつも大体これくらいの時間に休憩を取る。

「ブルノさん、紅茶を淹れますね」

「ありがとう。いつもすまないな」

オデットはブルノの作業部屋の隣のドアを開けた。

そこはダイニングキッチンなのだが、簡素なベッドと洋服用のキャビネットも置かれている。ここに勤め始めた一年前からオデットが寝起きする部屋として間借りしているからだ。

ちなみにこの建物には二階があり、そこには妻に先立たれたブルノがひとりで住んでいる。

商品の柱時計が十五時の鐘を打つ中、オデットがキッチンに立った。

銅製の蛇口のコックは鶏の形をして可愛らしく、それをひねってケトルに水を入れたら、カランコロンとドアベルが鳴った。

「いらっしゃい、ませ?」

なぜか戸惑っているようなブルノの声も聞こえ、オデットはケトルを置くと様子を見に店内に戻る。

ドアを入ったところに立っているのは、身なりのいい五十代くらいの男性だった。

後ろにグレーの騎士服を着た青年を連れており、胸を張るような姿勢でブルノと向かい合っている。

「私は王城で官職に就いている者だ。実は——」

用件を切り出そうとした官人は、カウンター裏からひょっこり顔を覗かせたオデットに気づくと、ブルノを押しのけるようにしてつかつかと近づいた。

「君がこの店のもうひとりの従業員か?」

「はい。そうですけど……」

目を瞬かせているオデットをまじまじと見て、なぜか官人は眉を寄せる。

「若い娘だと聞いてはいたが、子供みたいな顔だな。賢そうでもないし、本当にこの娘が?」

垂れ目で柔和な顔立ちとおっとりした性格のせいで、見くびられがちである。

それを自覚しているオデットなので官人の失礼な発言には少しも腹を立てず、ただ不思議に思って問いかけた。

「あの、私になにかご用でしょうか?」

ハッとした官人は口元に拳をあてて咳払いすると、気を取り直したように口を開く。

「実は王太子殿下がひと月ほど病に伏しておられる。城医をはじめ名立たる医者どもは原因不明だと情けないことを言うので、こうして治療できそうな者を探し歩いていた。君には不思議な力があると聞いたぞ。王城へ同行願いたい」

先ほどの客への対応のように、オデットはたびたび特殊能力を発揮して宝石に込められた持ち主の想いを紐解いてきた。それにより救われたと感じた客もいて、思ったより噂になっていたようだ。

驚いたオデットは、胸の前で両手のひらを振る。

「私にはお医者様のような真似はできません。鑑定できるのは宝石だけですから」

「それでもいい。とにかく一緒に来てくれ。手ぶらでは城に戻れん」

どうやら官人もオデットが役に立たないとわかって言っているようだが、王太子のために動いている姿勢を見せなければ叱られるのかもしれない。

「さあ、この娘を馬車に」

命じられた騎士はオデットの手首を掴んでカウンター裏から引っ張り出すと、そのままドアへ向かう。

まるで連行されているようだとオデットは戸惑いつつも、呆気に取られているブルノに出がけの挨拶をする。

「ブルノさん行ってきます。紅茶を淹れられなくてごめんなさい」

「あ、ああ。紅茶は自分でやるから構わないよ。気をつけてな」

五月のよく晴れた空はサファイアのように透明感のある青色をしている。

空を見上げてぼんやりするのが好きなオデットだが今はそんな余裕はなく、細道を塞ぐように停められていた立派な馬車に押し込まれた。

すぐに馬が走り出し、北へ十分ほど進んでメインストリートに出る。

馬車が四台すれ違えるほど広々とした石畳の道沿いには、四、五階建ての瀟洒な建物が並んでいる。

どれも一階は店舗になっていて、お洒落な洋服や帽子などがショーウインドウに飾られていた。レストランやカフェ、演劇場や美術館もあり、往来の人々は身なりがいい。

カルダタンは住宅街の食料品店やパン屋が並んだ一角にあるので、この通り沿いの店よりはずっと庶民的な雰囲気だ。

メインストリートを東へ二十分ほど進むと緩やかな坂道になり、そこを上りきった小高い場所にグラデシア王国の王城がそびえている。巨大なので城下のどの場所からでも確認できるが、オデットが間近で見るのは初めてだ。

正門の向こうに広大な前庭があって、その奥にいくつもの尖塔を備えた大邸宅、石積みの要塞やドーム屋根の宮殿など複数の建物が見えた。

（わー、すごい）

数分は物珍しく眺めていたが、お腹が鳴りそうで気が逸れた。

ティータイム時に連れ出されたため、今日はおやつを食べ損ねている。

豪華な景観を眺めていても心ここにあらずで、頭の中は食べ物のことでいっぱいになっていた。

(今日の夕食、なににしようかしら。ボリュームがあるものが食べたいわ……)

じゃがいもをたくさん入れたシチューにしようか、鶏胸肉を柔らかく下ごしらえした大きなチキンソテーにしようかと考えているうちに、いつの間にか門兵の立つ正門をくぐり、五階建ての大邸宅前に着いた。

馬車から降ろされて建物内に入ってもまだ上の空のオデットがハッと我に返ったのは、官人に厳しい目を向けられた時だった。

「王太子殿下に失礼のないようにな」

「は、はい」

立ち止まっていたのは精緻なレリーフ加工が施された木目のドアの前で、官人が三度ノックした。

いよいよ対面となると、のんき者のオデットでもさすがに緊張する。

中から「どうぞ」と聞こえたら官人が一礼して入室し、鼓動を高まらせたオデットもそれにならった。

病に伏しているのと聞いているので寝室かと思いきや、そこは執務室だった。家具がダークブラウンと白で統一された落ち着きのあるしつらえで、壁際には書棚と柱時計、火の入っていない暖炉があり、暖炉の前に休憩用のソファセットがある。

マホガニーの艶やかな執務机は部屋の中央にドンと構えられていた。

その奥にある革張りの椅子に腰かけ、万年筆を手に仕事をしているのが王太子なのだろう。

ジェラール・クリスト・バシュラルフ。

それが王太子の名前だと馬車内で官人に教えられた。

柔らかそうなチョコレート色の短い髪は襟足のみ肩につく程度に長く、前髪が形のいい額に斜めにかかっている。顔立ちは完璧なまでに整い、大人っぽく知的な雰囲気の美形である。シルクのブラウスと黒いズボンという軽装なのに、あふれるほどの気品を感じさせるのは、彼の高貴な血筋がなせるわざなのかもしれない。

切れ長で琥珀色の麗しい瞳がこちらに向けられ、オデットの心臓が大きく跳ねた。

（なんて美しい人なの）

うら若き乙女なら一瞬で恋に落ちそうなところだが、初恋もまだなオデットは恋愛事にすこぶる鈍感である。心弾ませる相手はいつも宝石たちで、今も見目麗しきジェラールに対し、ダイヤモンドを鑑賞しているかのような気分でいた。

（まるで五百カラットのダイヤね。クラリティは傷も不純物もない最高のフローレス。お会いできて光栄だわ……ううん、もっと早くお目にかかりたかった。私も一応貴族なんだから）

オデットの父はログストン伯爵という。

王都から遠く離れた田舎屋敷には両親と三歳になったばかりの小さな弟がいて、たったふたりの使用人とともにひっそりと暮らしていた。

かつては裕福だったそうだが祖父の代から急に落ちぶれて、他貴族との付き合いはほとんどない。今は田舎屋敷を維持していくのがやっとの状況で、それゆえオデットは十六歳で王都に働きに出て実家に仕送りをしていた。

家族に会えないのは寂しいが没落貴族令嬢という立場を不満に思ったことはなく、仕事が楽しくて毎日が幸せだ。

そんなオデットがジェラールに目を奪われ胸の前で指を組み合わせていると、官人に横目で睨まれてハッとした。

（いけない。王太子殿下を見つめていたら勘違いされてしまうわ）

馬車での移動中、官人から王太子が二十三歳の独身だという話は聞かされていた。

平民の分際で王太子に近づこうとしないようにと釘（くぎ）を刺されたのだ。

オデットは一応貴族であることは言わなかった。

隠しているわけではないけれど、王都に来てから誰にも身分を尋ねられないので打ち明ける機会はなく、ブルノも知らないことであった。

執務室にはもうひとり男性がいる。

三十歳くらいでえんじ色の上着をきっちりと着こなし、堅物（かたぶつ）そうな顔をしている。瞳は赤茶で、同じ色の肩下までの髪をひとつに結わえていた。

執務机の横に立っているその人に、王太子が「カディオ」と呼びかけた。

「かしこまりました」

主が口にせずとも用件を心得たとばかりにこちらに向かってきた彼に、官人が会釈している。

「近侍（きんじ）殿、殿下のご体調はよろしいのですか?」

「ご無理をなさっておいでです。お止めしても政務が滞れば民が困ると言って聞かないのですよ。まったく」

嘆息した近侍がちらりと肩越しにジェラールを見遣り、戻した視線をオデットに振った。

「それでこの者は？」

「西地区にあるアンティークショップ、カルダタンの従業員です。不思議な力があると巷で聞きましたので、殿下のご病気についてなにかわかればと連れて参りました」

「そうですか」

近侍はオデットの頭から爪先までに視線を流し、微かに眉をひそめた。

店のエプロンをつけたままなので、ジェラールと謁見するのに相応しくない人物だと思ったのだろう。

威圧感のある冷たい視線にオデットが肩を揺らしたら、ジェラールの声がした。

「カディオ、優しく対応してくれ。その子をこちらに」

「はい」

不服そうに返事をした近侍に連れられ、オデットは執務机を挟んでジェラールと向かい合った。

万年筆を置いた彼の顔色は悪く、額にうっすらと汗をにじませて熱がある様子だ。

具合が悪そうだと心配するオデットを気遣ってか、ジェラールがニコリと微笑んでくれる。

「私の近侍が怖がらせてすまない。仕事中に無理を言って連れてきたことにもお詫びしよう。私は大丈夫だから君は帰っていいよ。カディオ、お礼を渡して送ってあげて」

治療しなさいと言われずに済んでオデットはホッとした。

けれどもドア口に立っている官人は、余計な真似をしたと言われた気がしたのか
焦ったように口を挟む。

「恐れながら、このまま帰すのはいかがなものかと。我々は王太子殿下をご心配申し上げ――」

「わかっているよ。いつも尽くしてくれてありがとう。だが君たちは心配性がすぎる。

微熱が続いているくらいで大騒ぎしないでくれ」

ジェラール自身は体調不良を軽視しているようだが、少し話しただけで息苦しそう
なのでオデットはますます心配になる。

（横になられた方がいいんじゃないかしら。王太子殿下はご病気中も休めないほどお
忙しいの？）

綺麗に整頓された机上には、書類が二十センチほどの高さに積まれていた。

どんなに具合が悪くても仕事をしなければいけないのかとオデットは気の毒に思う。

けれども書類の横にそっと置かれたある物に気づくと、一瞬で同情を忘れて目を見
開いた。

（エメラルドのブローチ。見たことがないほど大きな石だわ。鑑定したい！）

素晴らしい宝石に出合うたび、興奮して周囲の状況が見えなくなるのはオデットの悪い癖である。

目を輝かせたオデットは胸の前で指を組み合わせ、ジェラールに懇願する。

「そのブローチを見せていただけませんか？　私、宝石を見ると鑑定したくてウズウズするんです！」

「え？　あ、ああ。構わないが……」

挨拶も忘れて失礼なお願いをしたオデットにジェラールは戸惑い、官人は目をつり上げたが、オデットはエメラルドしか見ていない。

口を開きかけた官人をジェラールが片手を上げて制し、ブローチをオデットの方へ寄せた。

エプロンの大きなポケットから白い綿手袋を出して装着したオデットは、張り切ってブローチを手に取る。

（綺麗な緑色）

四角い面を大きくとったファセットカットのエメラルドが、とげとげしたデザインの銀の枠に収まっている。

周囲に小粒のダイヤが散らされて、貴族趣味らしい豪華なブローチだ。

感嘆の吐息を漏らした後はおっとりした顔つきが急に引きしまり、それまでとは打って変わって凛とした雰囲気を醸し出す。

ポケットから愛用の十倍ルーペを取り出すと、窓からの自然光に透かして石の状態を確認した。

「重さは三十カラットくらいね。エメラルドはもろいのに、細分せずこの大きさのままでブローチに仕立てるカット技術は一級品よ」

その他、インクルージョンと呼ばれる内包物が少なくて透明度が高いことなどをオデットは早口で話し続けた。説明しているのではなく心の声が漏れている状況なのだが、鑑定に夢中の今はそれさえ気づいていない。

「まさか、こんなに素晴らしいエメラルドに出合えるなんて、ここに来てよかったわ。でも――」

言葉を切ったオデットは、顔の横にブローチを掲げるとスッと真顔になる。

「これをどこから入手されましたか？」

急に深刻そうな雰囲気を醸すオデットに、ジェラールは戸惑いつつも答えてくれる。

「懇意にしている、ある伯爵からだ。夜更けまで書類に目を通す日々で眼精疲労が激しいと話したらそれを譲ってくれた」

古代では眼病治療の呪術にエメラルドが使われていたという話を、贈り主は知っていたようだ。

しかしながら真の目的を察しているオデットは、ますます険しい顔をして由々しき事実を口にする。

「エメラルドから呪術の気配を感じます。ご体調を崩された原因はきっとこれです」

「呪われているだと⁉」

官人が驚きの声をあげ、ジェラールとカディオは目を見開いた。

宝石というものは人の想いを吸収しやすい性質がある。そのため呪いをかけて贈られることもあり、オデットはこれまでそういった石に何度か出合ってきた。

（私が死んだ時と同じくらい強い呪いだわ）

オデットには前世の記憶がある。この世界には存在しない日本という国に生まれ、黒い瞳と黒髪のごく普通の女性だった。ひとつ特殊な点をあげるとするなら祖母がお祓いを生業とする拝み屋で、霊感体質を受け継いだことだろうか。

勤め先はブランド品やジュエリー、貴金属を扱う買い取り専門店で、キラキラと輝く宝石に囲まれての仕事が大好きだった。就職してからすぐに宝石鑑定士の資格を取っただけでなく、講習会に参加したり知人の宝石商に頼んで珍しい石を見せてもらったり、休日や給料を宝石の知識アップのために使う生活を送り、恋愛には無縁。

そんな前世の暮らしは二十五年で幕を閉じ、理由も宝石だった。

ある日、買い取った宝石に強力な呪いがかけられていたので、店長の許可を得た上で祖母にお祓いしてもらおうと持ち帰る途中、トラックの横転事故に巻き込まれたのだ。

前世ではよく幽霊にも遭遇したけれどこの世界に転生した今は見ることがなく、どうやら宝石を見る力のみを持って生まれてきたようだ。

ちなみに物心ついた時には前世の記憶はあったが、両親に話したら頭がおかしくなったと医者を呼ばれたので、それきり誰にも打ち明けていない。

驚きからいち早く回復したジェラールは、なにかを逡巡(しゅんじゅん)しているように琥珀色の瞳を揺らした。

「たしかに、熱の出始めとブローチを譲られた頃が一致するな……」

(信じてくれるのね、よかったわ)

でたらめを言うなと頭ごなしに叱る客もたまにいる。

ホッとしたオデットはポケットから正方形の白い紙を取り出しブローチを包んだ。

それは〝聖紙〟と呼ばれるもので、王都で最も歴史の古い教会のバロ司教からもらった。

聖水に浸して祈りを捧げた聖紙には浄化の力がある。カルダタンに呪いのジュエリーが持ち込まれた際には聖紙に包んで教会に持っていき、お祓いしてもらっていた。

「これをリバルベスタ教会のバロ司教にお渡しください。呪いを解いてくださいます」

聖紙を外さないようにと注意を加えてジェラールにブローチを返し、オデットはひと仕事終えた気の緩みから微笑んだ。

(ここに来てもお役に立てないと思ったけど、原因が宝石でよかったわ)

ジェラールの顔色はすぐに改善されて、ホッとしたように肩の力を抜いている。

「おかげで体が軽くなった。熱も引いた気がする。君は素晴らしい力を持っているね」

「聖紙の力ですよ。私は呪いを解けませんので。ご体調がよくなられてなによりです。このブローチを身につけていらっしゃらなかったんですね。それがよかったのだと思います」

「ああ。贈り物にケチをつけたくはないが趣味ではなかった。眼病を治すという話を信じたわけでもないのだが、緑色は目に優しいから執務机に置いていたんだ。もし身につけていたならどうなった？」

「無事ではいられなかったと思います。このエメラルドは持ち主を殺そうとしていますので」

言ってしまってから怖がらせるだろうかと心配したが、今まで優しげだったジェラールが急に悪人のようにクックと笑いだした。

「私の名はジェラール。君は？」

「オデットです」

ファーストネームで名乗られたので、オデットもそれにならう。

「可愛い名前だ。君の雰囲気によく合っている」

思わず頬を染めたオデットだが、ジェラールに甘い雰囲気はない。

ニヤリと口の端を上げてなにかを企んでいそうな顔をする彼は、オデットを通り越してここにはいない誰かを見据えていた。戸惑うオデットから近侍に視線を移し、権力者に相応しい厳しく重みのある声を響かせる。

「オデットのおかげで裏切者を見つけ出すことができた。まさかレオポルド派だったとはな。カディオ」

「はい。即刻ヨデル伯爵を捕らえます。私も殿下のご推測の通りかと思います」

ジェラールの命令は近侍からさらに官人へ下され、一礼した官人が慌ただしく執務室から出ていった。

大事になりそうな気配を感じつつもオデットがいまいち状況をのみ込めずにいたら、近侍が冷ややかな目で説明してくれる。

「国王陛下に反意を抱くゆゆしき勢力があるのです。それがレオポルド派。殿下はヨデル伯爵の背後に一派がいると睨んでいらっしゃいます。うまくいけば今回の件をきっかけに粛清できるかと。あなたにお礼を言わねばなりませんね」

（ええっ⁉　私の鑑定のせいで、そんな怖い話になるなんて……）

動揺するオデットを放置して、ジェラールと近侍が相談し始める。

「ヨデル伯爵がそう簡単に白状するとは思えないな」

「まずは一枚一枚爪を剥ぎ、それでもシラを切るなら目を潰しましょう。どうせ極刑ですから、不自由もなにもないでしょう」

「そうだな」

（ひっ！）

オデットは虫も殺せない性格である。子供の頃には腕や顔にたくさんのひっかき傷を負いながらも怪我した野良猫を保護したり、行き倒れの旅人を自宅に連れ帰って介抱したりした。その旅人にはお礼を言われるどころか銀食器を盗まれて逃げられたのだが、元気になってよかったと両親と一緒に喜んだほどの筋金入りの人の好さだ。たとえ相手が極悪人であろうとも、拷問や死罪に処すると聞けば心の底から同情する。ましてやそのきっかけが自分の鑑定であるため、オデットは慌てるあまり不敬なのを忘れて会話に割り込んだ。

「あの、人間ですから相性の悪い相手がいて当たり前だと思うんです。好きだと言ってくれる人ばかりじゃなくていいんじゃないでしょうか。それに敵意を向けてくる相手に優しくしてあげたら、きっと嫌うのをやめて仲良くなれると思うんです」

ジェラールは意表を突かれたようにオデットを見て、近侍はたちまち目をつり上げた。

「無礼者が！　お前の友人関係と一緒にするな」

「ご、ごめんなさい」

カディオに怒鳴られてオデットが肩を揺らしたら、ジェラールが椅子を立った。

彼は国王に次ぐ権力者。

不敬罪に問われたらどうしようと身を縮こまらせたが、意外にも「カディオは下がっていろ」とかばってくれた。

「怯(おび)えなくていい。そういう考え方もあると感心していたんだ」

隣に立った彼が優しげな目でじっと見つめてくるので、オデットは戸惑う。

（寛大な方ね。ううん、それ以上のなにかを感じるんだけど……なにかしら）

「この度のことに感謝しよう。お礼はなにがいい？　なんでも言ってくれ」

「いいえ、私は宝石を見せていただいただけですので、なにも……」

「それじゃ俺の気がすまない」

一人称が〝私〟から〝俺〟に変わったのは、どういった心境の変化だろうか。

琥珀色の瞳には先ほどまでの王太子然とした彼らしからぬ色気もにじんでいるが、今まで恋愛に無縁だったオデットはその意味を理解できずに目を瞬かせた。

すると今度は、手を取られて甲に口づけられた。

（どうして⁉）

鈍感でも年頃の乙女である。たちまち鼓動を高まらせたオデットは、顔を真っ赤に染めて小魚のように口をパクつかせた。

「あ、あの、あの」

「優しくしたら仲良くなれるって君が言ったんだよ。オデットに興味が湧いた。また呼んでいい？　今度はお茶でも飲みながらゆっくりと話したい」

ジェラールは自信ありげな笑みを浮かべていた。

おそらくは、見目麗しき王太子の誘いを断る女性はこれまでいなかったに違いない。

貴族令嬢なら妃を夢見てもおかしくない状況である。

けれどもオデットの場合、その上に〝没落〟がつくので可能性すら考えなかった。

（私に鑑定してほしい宝石がまだあるのかしら？　それならカルダタンに臣下の方を遣わしてほしいわ。お城は落ち着かないし、手にキスなんてされたら驚いてしまうから、もう呼ばないで……）

思わず首を横にブンブンと振ったオデットは、意図せずにジェラールのプライドを傷つけショックを与えたのだった。

夢見る少年と銀匙のルビー

初夏の日差しがヘリンボーン調の床に濃い影を作る午後、カウンターに立つオデットは客対応中である。

隣の地区から四十分かけてやってきたという三十代の婦人は、フルコースのディナーに必要な銀製のカトラリーをひと揃え四組購入し、代金を支払ったところだ。

購入品を丁寧に梱包して手渡したオデットは、笑顔で言葉を添える。

「きっと素敵なディナーになると思います」

特別な日に使うのだと聞いたのでお祝い事かと思ったのだが、婦人は嫌そうな顔で肩をすくめてみせた。

「違うの。主人の姉が来るというから買ったのよ。馬鹿にされたくないじゃない。私、お姉さんが苦手だから憂鬱だわ。出費もかさんで本当に迷惑」

「そ、そうなんですか。頑張ってください……」

人にはいろんな事情があるものだと思いつつ、オデットはドア口まで客を見送りカウンターに戻った。

時刻は十五時。

ブルノは奥の作業部屋にこもっていて、足踏み研磨機の音が聞こえてくる。

(紅茶を淹れて休憩しましょうと声をかけようかな。お茶菓子は昨日買ったチェリーパイがまだ残って……あ、寝る前に私が全部食べちゃったんだ。買いに行かないと)

そう思ったらドアベルが鳴り、若い女性が入ってきた。

飴色のストレートの長い髪を束ねて三角巾をかぶり、エプロンドレスを着た女性は快活そうな笑みをオデットに向けた。

「そろそろ休憩でしょ。一緒にティータイムにしようと思って。いい?」

「もちろん、大歓迎よ」

小柄なオデットより十センチほど上背でスラリとした体形の彼女は、ルネ・コロン。ひとつ年上の十八歳だ。カルダタンの右隣のコロンベーカリーのひとり娘で、両親と三人でパン屋を営んでいる。

ルネは持ってきたバスケットをカウンターに置き、かぶせていた布巾を取った。

「差し入れだよ」

すると甘いバターの香りが漂うクッキーがどっさり入っていて、オデットは目を輝かせた。花形のクッキーは中心に飴をのせて焼いてあり、ルビーやサファイアのように美しい。

「とっても綺麗なクッキーね。ありがとう。今紅茶を淹れるから座って待っていて」

ルネを猫脚のテーブルに向かわせ、ブルノに休憩の声をかけてから、ダイニングキッチン兼自室へ入る。

数分して三人分の紅茶をトレーにのせて戻ると、テーブルを囲む人数が増えていた。

「オデット、ただいま！」

「あらロイ。もう学校が終わったの？」

「オデットに会いたくてホームルームは出なかった」

制服姿のロイは、近くに住むブルノの孫息子。鼻のつけ根にそばかすを散らし、まだあどけなさを残す十三歳の少年だが、背伸びして大人ぶろうとするところがある。

学校帰りに毎日のようにこの店に寄るのは明らかにオデット目当てであるのに、鈍感なオデットはロイの恋慕に少しも気づいていない。

「もう。さぼっちゃ駄目よ。急がなくてもロイの分のお菓子は残しておくから」

優しく注意して少しくせ毛のロイの頭を撫でたオデットは、急に目頭を熱くする。

「ロイを見ていると弟を思い出すの。雰囲気が似ているからかしら。実家を出た時はよちよち歩きだったけど、今は走り回っているって母の手紙に書いてあったわ。リュカに会いたい」

幼い弟が恋しくなって、思わずロイの頭を胸に抱きしめた。

「えっ」

ロイは喜ぶより三歳児と一緒にされてショックを受けており、皆に紅茶を配るルネがおかしそうに笑った。

「ロイが気の毒だけど面白いからオデットはこのままの性格でいいよね」

ブルノはやれやれと言いたげに紅茶を口にし、それから新聞を読み始める。

「前代未聞の甘い判決か。フムフム、たしかにそうだな」

「おじさん、なんの記事?」

ルネが興味を持つと、ブルノが皆に見えるよう紙面を広げた。

「オデットが解決した例のブローチの件だよ」

王城に呼ばれ、王太子のエメラルドのブローチにかけられていた呪いを見破ったのはひと月ほど前になる。

その後に関してはなにも知らないので、オデットも気になって紙面を覗き込んだ。

ジェラールにブローチを贈ったヨデル伯爵は捕らえられて自分の単独犯行だと自供し、裁判にかけられたらしい。

そして下されたのは禁固二十年の有期刑。

王太子の命を狙ったら死罪でもおかしくないのに有期刑に処され、伯爵家の取り潰しもなく息子が爵位を継ぐことが許されたと書かれていた。

「一体どんな事情があってこんな判決になったんだ？」

ブルノは不思議そうに唸っているが、オデットには思い当たる節がある。

（もしかして、私の意見を聞いてくださったのかしら）

敵対する相手にも優しくすれば仲良くなれる——と進言したのを思い出していた。

近侍は立腹していたがジェラールは感心してくれたので、彼が減刑するように命じたのかもしれない。

（たしか背後にレオポルド派がいると仰っていたけど、一派への処分もないようね。はっきりと結びつく証拠がなかったのかも。粛清なんて怖い話にならなくてよかったわ）

オデットはホッとしてルネとロイの間の席に腰かけた。

ロイが来たため紅茶がひとつ足りなくなってしまったが、自分のためだけにまた淹れに行くのは面倒で、クッキーだけを口にする。

「ん、とっても美味しい。ルネが作ってくれたんでしょ？」

頬に手をあてたら、ルネが得意げに胸を張った。

「私ってお菓子作りの才能があるのよ。でもパン作りはまだまだかな。うちの親には到底及ばない」

オデットはコロンベーカリーのパンも大好きで、ほぼ毎日買いに行く。

「ルネが作ったこの前のクリームパンも美味しかったよ。自信持って」

「ありがと。オデットはなんでも美味しいって言うから。私に気を使わなくていいのに」

自嘲気味に笑ってパンの話を終わらせたルネは「で？」と問いかけてきた。

オデットが首を傾げると、飴色の瞳を意味ありげに細める。

「あれからお城に行ったの？　また使者が来ていたわよね」

あの日以降、『ティータイムをご一緒に』という伝言を携えて、ジェラールの使者が何度かカルダタンを訪れていた。

王城からの立派な馬車が店の前に止まるたびにワクワク顔のルネがやってくるので、ブローチの件も併せてすっかり事情を聞き出されている。

お茶の誘いは毎回断っていると答えたら、ルネが首を横に振る。

「もったいない。どうして断るのよ。玉の輿に乗るチャンスなのに」

「もうルネったら。そういうお誘いじゃないわ。王太子殿下は私の鑑定力に興味がありなだけよ」

むしゃむしゃとクッキーを頬張っていた食べ盛りのロイが、慌てたように紅茶で流し込んでから口を挟む。

「身分違いの恋はうまくいかないからやめた方がいいよ。オデットは将来、僕とおじいちゃんの店を――」

するとルネに新たな一枚を口に突っ込まれた。

「身分違いの恋? 結構じゃない。障壁が大きいほど恋は燃え上がるものよ。まぁロイには早すぎる話ね。大人の会話に割り込まないでクッキーを食べていなさい」

「子供扱いするな!」

ルネがからかい、ロイがむきになるのは見慣れた光景だ。

一応貴族令嬢なので身分違いではないが、没落貴族だから妃候補に名前があがるはずはないと思いながら、オデットは窓の外を見た。

(いい天気ね。シーツを洗えばよかったわ。明日も晴れるかしら)

ポカポカの日差しに目を細めつつ、のんきに考えていたらドアベルが鳴った。

「私が行きます」

ブルノに言って立ち上がり、対応に出る。

「いらっしゃいませ」

来店したのはひとりの青年で、オデットより頭ひとつ分以上背が高く、やけに整った目鼻立ちをしている。黒縁眼鏡をかけていて、簡素な綿のシャツに黒いズボンと革靴という庶民的な装いだが、立ち姿にどことなく気品が感じられた。

「やあ、オデット」

「え？」

親しげに声をかけられてオデットは戸惑う。

（どこかで会ったような気もしなくはないけど……）

記憶を探りつつ首を横にゆっくりと傾げたら、彼が苦笑した。

「俺の顔を忘れてしまったのか。それなら、こうしたら思い出せる？」

貴族的に優雅な仕草で手を取られ、甲に口づけられた。

驚いてオデットの鼓動が大きく跳ねると同時に、やっとジェラールだと気づく。

王太子の彼が庶民的な服に身を包み、黒縁眼鏡までかけているのは変装のためだろう。

目を丸くして王太子殿下と呼ぼうとしたら、唇に人差し指をあてられた。

「俺はジェイ。そう呼んで」

ジェラールの頭文字を取ったのだろうか。ウインクつきで呼び方を指定され、オデットは驚きの波が引かないままに首をこくこくと縦に振った。

（お忍びなのね。でもどうしてカルダタンに？　お買い物ならロイヤルワラントですものじゃないの？）

ロイヤルワラントとは、王家御用達の称号をもらっている格式高い店のことである。

どうしてという疑問が顔に表れていたのか、ジェラールが素敵に微笑んで答えてくれる。

「会いたかったんだ。誘っても君からは来てくれないようだしね」

切なげに目を逸らしてからの流し目は優美で色っぽく、年頃の乙女なら誰しも鼓動を高まらせることだろう。

けれども人並外れて恋に鈍感なオデットは口説かれていることに少しも気づかず、ポカンとしてしまう。

（どうして私に会いたいと思うの？）

「あれ……」

色気を消したジェラールが目を瞬かせた。

オデットの乙女心を刺激しようという目論見が外れ、彼もまた戸惑っているようだ。

「おい、お前。今、オデットの手にキスしただろ。僕のオデットに近づくな！」

焦り顔でふたりの間に割って入ったのはロイだ。

指をさして〝お前〟呼ばわりした相手が王太子だとは夢にも思うまい。

「ロイ、この方はええと……」

どう説明すればいいのかオデットが困ったら、ブルノがロイを叱ってテーブルに呼び戻してくれた。

入れ替わりにルネが近づき、声を少しも落とさずオデットに耳打ちする。

「ちょっとオデット、めちゃくちゃイケメンじゃない。あんたが王太子殿下の誘いに応じない理由がやっとわかったわ。すでにいい人を見つけていたのね。親友の私に紹介して！」

ルネの勘違いを訂正せず、ジェラールが白い歯を見せて爽やかに微笑む。

「オデットのお友達のお嬢さん、初めまして。俺はジェイ。今後は頻繁にこの店に顔を出すつもりだからよろしくね」

（頻繁に？　ご病気中も寝ていられないほど忙しそうにしていたのに？）

不思議そうなオデットにジェラールがクスリとする。

「なにか問題でも？」

「あの、申し訳ないんですけど、私には仕事がありますので……」

「もちろんわかっている。今日はこれを見てもらいたい」

彼がポケットから出したのはネックレスケースで、蓋を開けると細いプラチナチェーンにダイヤモンドのペンダントトップがついたネックレスが入っていた。

「鑑定ですね！」

たちまちオデットの目が輝き、興奮状態に入る。

「五カラットはありそうですね。パッと拝見した限り二千万ゼニーくらいのお値段になりそうです。そちらのカウンターでじっくり拝見させてください。ああ、今日はなんていい日なの。こんなに上等なダイヤに出合えたのは久しぶりだわ！」

カウンターには内と外にひとつずつスツールがあって、オデットとジェラールが向かい合わせに腰を下ろした。

天井から手元に向けて管が一本延びている。ガス管でも給水管でもないそれは、先端の蓋を開けるとライトのように光が差し込んだ。

「へぇ」

ジェラールが物珍しげに見ている。

「鏡で集めた外光を管に通しているんです。ランプの明かりだとカラーやクラリティを判断できないので。この世界では自然光が適しているんですよ」

前世のような鑑定用の特殊ライトがないのでそう言ったのだが、ジェラールに引っかかりを与えてしまう。

「この世界?」

「あっ、こっちの話なので気にしないでください」

ダイヤモンドに夢中なオデットはサラリと流し、鑑定に必要な道具を並べて白い綿手袋を装着した。

パステルカラーのような淡くぼんやりした普段の雰囲気がたちまち引きしまり、別人のようにしっかりとした顔つきになる。

ダイヤモンドはカラット、カラー、カット、クラリティの四項目で価値を見極める。

ラウンドブリリアントカットのダイヤモンドを特殊ニッパーで石留めから外して重さを量ると、五カラットちょうどであった。

一カラットは二百ミリグラムで、この石はかなり大きい部類に入る。

次にダイヤモンドを白い紙の上にのせて光源にあて、カラーと透明度を表すクラリティを評価する。

微笑したジェラールが頬杖をつき、てきぱきと作業を進めるオデットを見つめている。

「今日も急に雰囲気が変わるんだな。君がどんな女性なのかもっと知りたくなる。惹かれる理由はそこにあるのかもしれない」

「すみません。集中したいので黙っていてもらえますか」

「すまない……」

口説かれているとも気づかず、オデットは素早く鑑定を終えて慎重にダイヤモンドをネックレスに戻し、それからやっと笑みを向けた。

「カラーはD。クラリティはインタナリーフローレス。インクルージョンはなくほぼ無色透明で非常に価値が高いダイヤです。それにプラチナチェーンのお値段をのせまして、査定額は二千百五十万ゼニーになります」

鑑定を終えたオデットはネックレスをケースに戻してジェラールの前に置いた。

(石にはまだ誰の想いもしみ込んでいなかったわ。最近、新品で買ったものかしら)

プラチナチェーンは細く女性用なので、誰かへのプレゼントだろうとオデットは推測した。贈られた女性の喜びが、このダイヤモンドに移るのを想像して頬を緩める。

「鑑定書をお作りしましょうか？」

「いやいい。これはここに置いていくつもりだから」

「お売りになるんですか？」

王太子が買い取りを希望するとは予想外で目を丸くしたら、ジェラールがクスリとした。

ネックレスを手に立ち上がった彼は、なぜかカウンターの内側に入ってきてオデットの真後ろに立った。

「えっ、あの」

「前を向いてじっとしていて」

スラリと長く滑らかで、それでいて男らしくごつごつとした彼の指がオデットの肩までの髪に触れた。

それだけでも十分に驚いているのに、素早く首にネックレスをつけられて息をのんだ。

「これはオデットのために作らせたんだ」

「ええっ⁉ こんなに素晴らしいネックレスをいただく理由がないです」

立ち上がって振り向くと、予想以上の至近距離にいたジェラールにぶつかってしまう。よろけて「キャッ」と声をあげたら、長い腕が背中に回され引き寄せられた。

「ご、ごめんなさい」

慌てて彼の胸から顔を離して見上げると、色気を醸す琥珀色の瞳がすぐそこにあり、また鼓動が跳ねた。

「俺が君にプレゼントしたいから、という理由がある。よく似合っているよ」

「おうた――」

「ジェイだよ。近くで見るとますます可愛いな」

異性にストレートに容姿を褒められるのも、こんなに接近されるのも初めてで、オデットの顔に熱が集中する。どうしていいのかわからないほどの動悸を味わっているが、それでも断らなければと首を横に振ってネックレスを揺らした。

「ジェイさん。もしかして先月の鑑定のお礼ですか？　だとしたら鑑定料はかかりません。鑑定書や鑑別書をお作りする場合のみ料金をいただいています。ですので、こんなに高額なネックレスはいただけません」

もらえない、あげたいの押し問答が繰り返される間、焦り顔でこっちに向かってこようとしているロイはブルノに後ろ襟を掴まれジタバタしており、ルネはニヤニヤと楽しげだ。

そうこうしているとドアベルが鳴って女性ふたりが来店し、騒ぎはいったん収まる。

「いらっしゃいませ」

顔見知りだったらしく、対応に出たブルノが笑顔で挨拶を交わす。

「しばらくお見かけしませんでしたね。お変わりなくお元気そうでなによりです」

バッスルスタイルのデイドレスを着た初老の貴婦人は上品にホホと笑う。

「主人が登城するというからついてきましたの。三年ぶりに王都ですのよ」

女性はとある子爵夫人で、以前は王都の街屋敷と領地の田舎屋敷を行き来する生活をしていたが、長旅が体にこたえる年齢になったので街屋敷は売り払い、今は田舎屋敷でのんびり過ごしているらしい。三年前まではカルダタンの常連客であったそうだ。

「奥様にぜひお見せしたい指輪がございまして。こちらにどうぞ」

オデットとジェラールはカウンター内から急いで出た。

入れ替わりにカウンター内に入ったブルノが、高額なジュエリーを保管している金庫を開けている。

ジェラールがさりげなく子爵夫人に背を向けたのは、王太子としての顔を知られているためだろう。

オデットがお忍び中の彼を心配したら、色気をにじませた瞳でウインクを返された。

女性に対して思わせぶりな仕草をするのは彼にとって日常なのかもしれないが、色恋事に不慣れなオデットはいちいち鼓動を高まらせてしまう。

（調子が狂って困るわ）

落ち着こうと胸に手をあてたら、後ろから「あの」と控えめな声がかけられた。

オデットが振り向けば、それは子爵夫人の買い物に荷物持ちとして同行しているメイドだった。

若草色のシンプルなワンピース姿で、年齢は三十歳くらいだろうか。クルミ色の髪をひとつに丸めて留め、下がり眉の大人しそうな女性だ。

「銀食器はありますか？」

「はい。こちらです」

オデットは横長のガラスのショーケースと、その後ろの木製棚にメイドを案内した。

「どのような銀食器をお探しでしょう？」

「あ、いえ、見るだけです。すみません」

「構いませんよ。どうぞごゆっくりご覧ください」

購入しないと言われてもがっかりはしない。銀食器たちもきっと使われずに展示されているだけなのは退屈だろうから、どうぞゆっくり見てあげてという気持ちでいた。

カウンターではブルノが早くも商談をまとめた様子。

「本当に素敵。アンティークには新品に出せない味わいがあるでしょ。だから好きなのよ」

「同感です。奥様のような方にご購入いただけてその指輪も喜んでいることでしょう。このままつけていかれますか？」

「ええ。そうするわ」

右手の人差し指にはめられたルビーの指輪をかざした子爵夫人は、その濃い赤みにうっとりしている。それからメイドの方を振り向いた。

「シュルビア」

「はい、奥様」

「あら、あなたも品物を見ていたのね。どれかしら。買ってあげるわよ」

歩み寄りつつ子爵夫人がそう言うと、メイドが慌てたように銀食器のショーケースから離れた。

「いいえ、こういったお店が初めてなので珍しく見ていただけなんです」

「そういえばシュルビアは、王都が初めてと言っていたわね。今日はいろんなお店に連れていってあげるわ。一生懸命に勤めてくれるからあなたを気に入っているのよ。遠慮なく欲しいものを言ってちょうだいね」

メイドを気遣う子爵夫人だったが、ジュエリーを並べたショーケースに目を留めると、彼女を押しのけるようにして駆け寄った。

「あら、このブローチも素敵ね。来週のお茶会につけようかしら」

広くはない店内なので、オデットは邪魔にならないよう隅に控えている。するとシュルビアが子爵夫人の様子を気にしつつオデットに近寄り、声を潜めて問いかけた。

「銀のスプーンはここにあるもので全部ですか？」

買う気がないと言っていたのになぜそのような質問をするのかとオデットは疑問に思った。

「はい。在庫はございません」

さらには残念がるのではなくホッとした顔をするのも不思議で、かと思いきや急に話を変える。

「この近くにモンテス商会があったと思うんですけど、まだありますか？」

「ありますよ」

モンテス商会は王都で一、二を争う貿易商社で、その社屋が五ブロック南にある。レンガ壁の大きな四階建てで、従業員も相当数いるようだ。経営者の一家の住まいはその隣の建物だと聞いたことがある。

オデットが知っている情報は少ないが、それを聞いたシュルビアはまたホッとしたように息をついた。

(不思議なことを聞くお客さんね……)

それから十分ほどして、ジュエリーを数点購入した子爵夫人とメイドが退店した。

ブルノと並んで見送ったオデットは、ドアを閉めてから気づく。

「あれ、ジェイさんは？」

キョロキョロするオデットに、テーブル上のカップやお菓子を片付けているルネが教える。

「オデットが接客中に帰ったよ」

「えっ、どうしよう。このネックレスを返そうと思っていたのに」

首に下げられたままのダイヤモンドに触れて眉尻を下げたら、ルネがニヤニヤする。

「いいじゃない。あげるって言うんだからもらっておきなよ」

「そんなに軽くもらっていいジュエリーじゃないわよ」

「服装は地味だったけど、ジェイさんはお金持ちなんでしょ？　いいな。いったいどこで知り合ったのよ」

「ええと、あっちの方だったかな……？」

嘘をつきなれていないオデットが困り顔で適当な方角を指さしたら、その指をロイがぎゅっと握った。つぶらな目にオデットを映し、真剣に問いかけてくる。

「オデットはそんな姑息な手段に引っかかったりしないよね」

「姑息？」

高価な贈り物で女性の気を引くのは卑怯だと主張するロイを、ルネがからかう。

「悔しいからってなに言ってるのよ。女はね、ジュエリーを贈られたらときめくものなの。オデットにやっと恋人ができそうで嬉しいわ。私の彼の話も聞いてね。女ふたりで恋バナに花を咲かせようね」

「お子様は放っといて」と付け足したルネにロイが怒りだして、店内がまた騒がしくなる。

（私が王太子殿下の恋人に？　まるでおとぎ話ね。お忙しいでしょうし、きっともうお見えになることもないわ。二度とお会いできないのよ）

王城の方角に視線を向けたオデットは、返せなかったダイヤモンドをブラウスの襟の内側にしまい、ほんの少し寂しい気持ちになっていた。


それから三日が過ぎた夕暮れ時。

ブルノは外出中で、店を任されたオデットはカウンターに向かって十倍ルーペを覗いている。

手袋をはめた手には買い取り希望で持ち込まれた銀製のデザートスプーンがある。

全体的に黒ずんでいるが柄の先端には小粒のルビーがはめ込まれていて、特別な食事で使うスプーンだろう。

オデットは石の状態を確かめながら、淡々とルビーについて語る。

「ルビーはコランダムという鉱物です。コランダム自体は無色透明なんですけど、そこにクロムが混ざることで赤い色がついてルビーになるんです」

「へぇ」

低く艶のある声で相槌を打つのはカウンター越しに座っている客ではなく、スツールを勝手にひとつ追加してオデットの隣に腰かけているジェラールだ。

もう二度と会えないと寂しく思ったというのに、ジェラールは仕事の隙間時間でオデットに会いにやってくる。

昨日は昼頃、一昨日はティータイム時に来て、ブルノやルネも含めて他愛ない話をして帰っていった。

宝石を鑑定中のオデットはいつも別人のような凛とした雰囲気を醸し出す。

けれども今は集中しきれず、素の性格が見え隠れしていた。

(腕が触れてしまうわ。近すぎるのよ。そんなに見られていると仕事がしにくいのに)

さっきから右頬が熱いのは、ジェラールの熱視線を浴びているからか、それともオデットの鼓動が高まっているからなのか。

「それから?」

攻撃的なまでに色気のある声で続きを促され、オデットは調子を狂わされつつも鑑定を進める。

「ルビーは赤みが濃い方が、価値が高いとされます。赤みが薄いと、ピンクサファイアに分類されてしまうんです」

「サファイア?」

「はい。ルビーとサファイアは同じコランダムです。生成過程で鉄とチタンが混ざれば青いサファイアとなります。真っ赤なものだけがルビーとなり、サファイアより希少価値が高いんです。だから偽物も作られる。拝見したところ、このルビーは本物です」

ガラスと融合させたり、ガーネットなど他の赤い石をルビーだと偽って売りつけたりする悪徳宝石商もいるから注意が必要だ。素人は騙(だま)せても、前世から多くの宝石に触れてきたオデットはひと目で真贋（しんがん）を見分けられる。このスプーンのルビーは小粒で赤みは薄く、新品で買うなら一万五千ゼニーくらいだろう。

　ルーペを外したオデットが客に査定額を告げる。

「五千ゼニーで買い取らせていただきます」

「えっ、それっぽっち？」

　驚いているのはこのスプーンを持ってきた少年だ。来店時に年齢を尋ねたら、十五歳だと言っていた。

　大人でなければ買い取らないという決まりはないが、スプーンの入手先が気になるところ。薄汚れた綿のシャツに膝に当て布をしたズボンをはいており、食事に銀のスプーンを使うような家柄の子供ではなさそうだ。

　クルミ色の癖毛が可愛らしく、盗みを働くような非行少年には見えないけれど、念のためにオデットはやんわりと事情を聞き出そうとする。

「どうしてこれを売ろうと思ったんですか？　話してくれたら、もう少し買い取り額を上げられるかもしれません」

　すると少年はムッとした顔をした。

「もしかして疑ってるの？　貧しくても人の物を盗んだりしないよ。このスプーンは僕が捨てられた時に握っていたものなんだ」

（捨て子……なるほど）

オデットはその話を信じた。なぜならルビーを鑑定しながら感じたのは、『幸せになって』という母親の想いだったから。

この国には〝赤子に裕福な人生を〟という願いを込めて銀のスプーンを贈る習わしがある。しかしオデットが読み取ったのは、そうした母の温かな想いというより、もっと切実な感じのするものだった。

（なにか事情があって我が子を手放さなければならなかったような気持ちが伝わってきたのよ。それはこの子を捨てた母親の想いなんだわ）

「信じます」

オデットが真剣な顔で頷くと、ホッと表情を緩めた少年が身の上話を始めた。

彼の名はアラン。

名前は捨てられていた時のおくるみに刺繍されていたらしい。

置かれた場所はモンテス商会の経営者の自宅前。皆に〝お館様〟と呼ばれている経営者はアランを自宅で育ててくれたが、養子にしたわけではなかった。

幼い頃から使用人として働かされて学校にも通わせてもらえず、十二歳になってからはモンテス商会の労働力として使役されている。

住まいは今も経営者宅で、衣食住を与えているという理由で給料はなしだという。

「ひどい話だ。まるで奴隷じゃないか」

さもカルダタンの従業員のような顔をしてカウンター内にいるジェラールが口を挟む。

「育ててくれた恩は感じているんですけど……」

アランは豆だらけの自分の手を見つめて悲しげな顔をしたが、急に表情を明るくした。

「お金が必要なんです。もう少しだけ買い値を上げてもらえませんか？　贈り物をしたい人がいるんです」

出自に関わる大事なスプーンを売ろうとしているのは、初恋相手に誕生日プレゼントを買うためらしい。真っ赤な顔で打ち明けたアランにつられてオデットまで照れくさくなり、もじもじしてしまう。

（そういう事情なのね。できるだけ高値をつけてあげたいわ）

「まずは綺麗にしましょうか」

オデットはカウンター下の棚からクリーニングに必要な道具を取り出し、並べていく。

「錆び落としか」

興味がありそうな顔で横から覗き込むジェラールに、オデットは綿の手袋を外しながら説明する。

「黒ずみ落とし、です。銀は錆びません。この変色は硫化といって硫黄成分に反応して起こるものです。汗や皮脂にも硫黄が含まれているんですよ」

「へぇ」

オデットは重曹にぬるま湯を加えてとろとろにし、銀のスプーンを磨く。

するとたちまち顔がはっきりと映り込むほどピカピカになった。

「磨けばこんなに光るんだ」

アランは感嘆し、ジェラールは「ん？」となにかに気づいたような声をあげた。

変装用の伊達眼鏡を外した彼はオデットの手からスプーンを取り上げると、目を凝らすように顔を近づけた。

「あ、ジェイさん。せっかく磨いたんですから手袋をしてください。まだ売買が成立していないのでお客様のものですよ」

「ああ、すまない。だが、それよりここを見てくれ」

ルビーがはめ込まれた柄の先端の裏側に、鷲(わし)の紋章が刻まれていた。

「気づきませんでした。なにかの刻印でしょうか？」

家紋か製造元のマークか、それともただのデザインか。宝石の知識には長けていても、この世界のアンティーク品に携わってまだ一年ほどなので、オデットにはわからない。

ブルノはあいにく外出中で聞くことができず困ったが、ジェラールが教えてくれる。

「これはグスマン伯爵家の紋章だ」

形のいい唇の端がニッとつり上がり、琥珀色の瞳がキラリと輝く。

「君の母親はグスマン伯爵家に縁の者かもしれないな」

驚きに目を見開いたアランは、直後に首を横に振る。

「こんな僕が貴族だなんてあり得ません」

これまでの使役されてきた人生を思えば、高貴な血筋かもしれないと期待もできないのだろう。

けれどもスプーンの紋章を見つめるアランの頬が次第に緩んでいく。

「でも、もしも、もしも僕が貴族なら、ユリアお嬢様と……」

アランが誕生日プレゼントを贈りたい相手は、モンテス商会経営者の孫娘。

冷たく厳しい家人の中で、唯一アランに優しくしてくれる天使のごとき清らかな女性だという。

年齢はアランのひとつ上の十六歳で、そろそろ結婚相手を探そうかという年頃だ。

もし自分が貴族の血筋なら初恋のお嬢様に求婚できるかもしれないと、夢が膨らんでいるようだ。

アランのまっすぐな想いに心を打たれたオデットは、協力してあげたいと思う。

(どうにかして調べてあげたいわ。でも私にできるのは宝石を見ることくらいで、どうすればいいのか)

眉尻を下げたオデットの右手に、ジェラールの左手がかぶせられた。

胸を弾ませて隣を見ると琥珀色の瞳が力強く輝き、任せろと言うように彼が頷く。

ポケットから黒革の財布を取り出した彼は、十万ゼニーの札束をアランの前にポンと置いた。

「このスプーンは俺が買い取ろう。その代わり、君の出自を調べさせてくれ」

「えっ⁉」

アランの驚きには、査定額の二十倍での買い取りと母親捜しを申し出てもらえたこと、それから『従業員じゃなかったの？』という気持ちが混ざっているようだ。

オデットも目を丸くしたが、少年を助けようとしてくれるジェラールを頼もしく感じて頬を綻ばせた。

「なにかわかったらご連絡しますね」

ドア口でアランを見送ったオデットは店内に引き返し、カウンターの内側に座っているジェラールと向かい合う。

「ありがとうございました。雇われ人の私は高額で買い取ってあげられませんので、嬉しかったです」

「一応買い取ったが、このスプーンはいずれあの子に返すつもりだよ。彼には大事なものだろ」

「いいんですか？」

「銀のスプーンには不自由していない」

「あっ……」

連日ふらりとやってきては気さくに話してくれるので、恐れ多い存在だと忘れそうになる。

「かしこまらないで。今の俺はジェイ」

背筋を伸ばそうとしたオデットに先手を打った彼は、視線を少し下げて微笑んだ。

「ネックレスをつけてくれてありがとう」

「そんな……お礼を言うのは私の方です」

彼が来店するたびに返そうとしたのだが、頑として受け取ってくれないのでオデットが折れたのだ。自主的にネックレスをつけたのは今日が初めてで、嬉しそうに目を細めるジェラールを見て、もらってよかったという気持ちになれた。

ふたりが微笑み合ったら、商品の柱時計が十八時の鐘を鳴らした。

「閉店時間です」

夕日はかなり西に傾いて、あと三十分もすればランプが必要になるだろう。

ジェラールが残念そうに立ち上がる。

「そろそろ帰らなければ。アランくんの母親捜しの件はまず俺からグスマン伯爵に連絡を取る。訪問する際にはオデットに同行してもらいたいんだが、店を抜けられる？」

「ブルノさんに聞いてみます。事情を話せばきっといいと言ってくれると思います。人情味のある方ですので」

微笑んで頷いたジェラールだったが、差し込む夕日に目を遣ると急に眉を寄せた。

「ブルノさんは何時に帰るんだ？」

「今日はリバルベスタ教会のバロ司教と会っているんです。ふたりはお友達でよく酒場に行くんですよ。きっと今夜もそうです。帰るのは日付が変わる頃でしょうか」

眉間の皺を深めたジェラールが信じられないと言いたげにかぶりを振った。

「たびたび夜間にオデットをひとりにしているのか。なにかあったらどうする」

「大丈夫ですよ。この辺りは治安がいいですし、強盗に入られたこともないそうです」

「過去になくても、この先はわからないだろ。ブルノさんが戻るまで俺がここにいよう」

スツールに座り直したジェラールは口元を片手で覆うようにして、なにやら独り言を呟いている。それによるとこの後、大事な会議が控えているそうだが、すっぽかす口実を考えているようだ。

政務に支障があっても責任は取れないと焦ったオデットは、なんとかジェラールを帰そうと試みる。

「あの、戸締まりはちゃんとしますので。隣にはルネもいますしなにかあったら……あ、そうだ、きっとロイがこれから来ると思います。今夜は二階に泊まっていってもらいますね」

ジェラールを安心させようと思ってそう言ってみたのだが、逆に彼の眉間の皺を深めてしまった。

「オデットに気がある少年と、夜間にふたりきり？　余計に危ないだろ」

「え？　ロイはまだ十三歳ですよ。私に懐いてくれていますけど、そういうのじゃなくて姉弟のような――」

オデットが釈明している最中に店のドアが勢いよく開けられ、本当にロイが現れた。制服ではなくシャツにサスペンダーつきのズボンをはいているので、自宅から来たようだ。

腰に片手をあてて、ドア口に立ったロイは、ジェラールを指さして声を荒らげる。

「やっぱりいやがったな！」

「やっぱりってどういうこと？」

オデットがキョトンとすれば、ロイが鼻の付け根に皺を寄せた。

「さっきおじいちゃんがうちに寄ったんだ。今夜は飲みに行くって言うから、心配になって来てみれば思った通りだ。おい、ジェイとかいう怪しい奴、オデットに手を出したらただじゃおかないぞ」

「ロイったら、なに言ってるのよ」

王太子に対する失礼発言にオデットは慌てたが、当のジェラールは余裕たっぷりに鼻で笑うと口の端を上げた。

「ただじゃおかないのか。それは興味がある。子供の君がどうやって俺にお仕置きするのか見せてもらおう」

「えっ?」

カウンターの内側から手首を掴まれて引っ張られたオデットは、体勢を崩して
「キャッ」と声をあげた。

カウンターに片手をついたら大きな手が重なり、ジェラールが身を乗り出すようにしてオデットの額に口づける。

オデットの目の前には男らしい喉仏があって驚いて息を吸い込めば、ほのかに龍涎香の甘い香りがした。

(ロイをからかいたいからって、私にこういうことをするのは……)

額であっても顔へのキスは両親以外にされた経験はなく、たちまち動悸が止まらなくなる。恥ずかしさに耳まで赤くなり、のぼせそうに顔が火照った。

「おおお、お前はー!」

ロイが叫んで駆け寄ると、ジェラールがオデットを離してサッと身を引いた。

カウンター越しに届かないパンチを繰り出すロイを、ジェラールが楽しげに笑う。

「可愛いお仕置きだな。君は子供だという自覚を持つべきだ。恋愛ごっこはクラスメ

イトの女の子とすればいい」

「馬鹿にするな！」

ロイがカウンター内に乗り込もうとしたら、ジェラールがひらりと逆側に飛び越し、ふたりは店内で追いかけっこを始める。

（楽しそう。殿下は弟が欲しかったのかしら）

一昨日のティータイム時にやってきた彼は、姉が三人いてすでに嫁いでいると話していた。他に兄弟はいないそうだ。

キスされた額を気にして手をあてていたオデットだったが、騒がしいふたりを見ているうちに動悸は治まり、フフと笑う。

（走り回ったらお腹が空くわよね。ふたりに夕食をご馳走するわ）

ベーコンとマッシュルームのオムレツと、野菜のシチュー、コロンベーカリーのバゲットにはチーズをのせて焼こうと、オデットはのんきに考える。

楽しい夕食になりそうだと口元には笑みが浮かび、鼻歌交じりにダイニングキッチン兼自室のドアを開けたのだった。


アランが来店してから十日が経った午後、オデットはルネと自室にいる。

仕事着のまま外出しようとしたらルネに止められ、よそ行きの服に着替えたところなのだが――。

「もう少しいい服はないの？」

ルネはオデットが選んだ黄色い無地のワンピースに難色を示すが、持っている服の中でこのワンピースが一番上等である。

返事の代わりに簡素な木目のキャビネットを開けてみせたら、ルネに憐れみの視線を向けられた。

「私の一張羅を貸してあげる。ピンクのデイドレスで襟に大きなリボンがついているのよ」

「ありがとう。でもルネのドレスはサイズが合わないと思うの」

ふたりの身長差は十センチほどあるので、ルネの服をオデットが着たら半袖は七分丈に、スカートの裾は床につきそうな気がする。

「それに、そこまでおめかししなくていいと思うんだけど」

キャビネットの扉を閉めつつ言えば、ルネに叱られる。

「ジェイさんと初デートなのに気合い入れないでどうするのよ。彼はイケメンのお金持ちだから絶対モテるわ。ぼやぼやしていたら他の女に取られるかもしれないよ」

（デートじゃないって何度も言ってるのに……）

今日はこれからグスマン伯爵の屋敷を訪ねる予定である。

グスマン伯爵は銀のスプーンに刻印されていた鷲の紋章を使っている貴族で、ジェラールが会う約束を取りつけてくれたのだ。

待ち合わせはメインストリートで。相手は貴族なので今日の彼はジェイではなく王太子として訪問するそうで、それゆえカルダタンまで迎えに来られない。

待ち合わせの十六時まであと三十分となり、オデットはベージュの地味なハンドバッグを持った。

「もう時間がないからこの服でいいわ。お待たせしたら申し訳ないもの」

オデットを着飾らせたいルネはまだ不満げだが、遅刻して彼の気分を害しては元も子もないので、やっとオデットを解放してくれた。

「行ってきます」

ブルノには前もってアランの事情を話してあり、出がけの挨拶をすると快く送り出してくれた。

汗ばむ陽気の中、オデットは日陰を選んで三十分ほど歩きメインストリートに出た。

この辺りは高級店が多いのであまり来ることがない。待ち合わせの衣料品店はどこだろうと見回したら、店より先にジェラールの馬車を見つけた。

通りをまたいだ向こう側に、王家の獅子の紋章をつけた二頭引きの立派な馬車が停まっていた。風景が映り込むほど磨き抜かれた黒い車体には金の装飾が施され、御者までタキシードにシルクハットと立派な装いである。

身なりがよく裕福そうな通行人たちが、気後れしたように王家の馬車を避けていた。

(私、今からあの馬車に乗るのよね?)

デートではないけれどルネの言うように、もう少し服装に気を使った方がよかったと後悔した。

広い通りを横切り恐る恐る馬車に近づくと、御者がうやうやしく開けたドアからジェラールが降りてきた。

馬車の横には屈強そうな護衛の騎士もひとり立っている。

お忍びの時は自由にひとりで城下を歩いているジェラールだが、王太子として振る舞う時には護衛が必要なようだ。

ライトグレーの夏物のジャケットにブラウス、白いズボンという爽やかな出で立ちのジェラールは、襟のジャボにダイヤモンドのブローチを留めていた。

オデットがもらったネックレスも目の玉が飛び出そうな価格だが、彼のブローチは富の象徴のような大きさと煌めきを誇っている。

それまでのおどおどした雰囲気はどこへやら、たちまちオデットの目が輝いた。

(すごいわ！ 世界最大のダイヤモンドの原石〝カナリン〟から切り出された三百十七カラットの〝セカンドスターオブアフリカ〟くらいありそうね)

それは前世の話だが、この世界にもこれほどまでに大きなダイヤモンドが存在するのかとオデットは嬉しい興奮に包まれた。

「そのブローチを私に――」

湧き上がる鑑定欲に突き動かされたが、唇に人差し指をあてられて言えずに終わった。

「ゆっくり見せてあげたいけど後でね。時間がない。まずはこの店に入ろう」

「え？」

さりげなく腰に腕を回され、目の前の衣料品店にいざなわれる。

格式高い雰囲気を醸す店のドアには、ロイヤルワラントを証明する盾がガラス越しに飾られていた。

中に入ると、店主とおぼしき壮年の男性と五人の店員たちがビシッと整列して立っており、頭を下げる。

「王太子殿下、ようこそお越しくださいました」

戸惑うオデットの隣ではジェラールが慣れた様子で注文する。

「今日はこちらの女性の服を見立ててほしい。急いでいるんだ。帽子と靴とバッグも用意してくれ」

「かしこまりました」

「あ、あの……」

王太子に同行するにはやはりこの服ではいけないということか。だとしても高い買い物をさせるのは気が引ける。

どうしたらいいかと考えているうちにカーテンの奥に連れていかれて、あっという間に着替えさせられてしまった。

女性店員に姿見の前に立たされたオデットは目を疑った。

（これが私なの？）

デイドレスは今まで着ていたワンピースと同じ黄色だが、フリルとレースが華やかさを添え、生地に薔薇（ばら）の刺繍が施されて高級感を醸し出している。

トレードマークのリボンのカチューシャはシルク素材のものに取り替えられた。

鍔（つば）が広い帽子にお洒落なハンドバッグと光沢あるパンプスは、店員総動員で近隣の店から集めたものだという。

ジェラールから贈られたダイヤモンドのネックレスが、この服装なら違和感がない。

(まるで貴族令嬢みたい……あ、私も一応貴族だったわ)

年頃の乙女なのでお洒落をすれば気分が高揚する。

鏡の前でクルリと回って微笑めば、カーテンが開けられた。

ジェラールが近づいてきて目を細める。

「可愛いよ。いや、美しいと言うべきかな。今のオデットの前では、大輪の薔薇も霞(かす)んでしまいそうだ」

「あ、ありがとうございます……」

彼はきっと多くの貴族令嬢と交流があるはずで、女性を褒め慣れているのだろう。

一方で社交界デビューもしていないオデットは、いちいち真っ赤になってしまう。

照れくさくてもじもじしていたら、クスリと笑ったジェラールの頬もわずかに色づいた。

差し出された大きな手に右手を重ねると、甲に唇を落とされて心臓が波打つ。

「オデットをエスコートできる喜びをなんと表現しようか。行き先が舞踏会でないのが残念だ」

（舞踏会。夢のような話ね……）

実現しないと思いつつも華やかで賑やかなダンスホールを想像し、うっとりした。

オデットの場合、貴族たちがどんな宝石を身につけてくるだろうというズレた興味の持ち方ではあるが。

店を出て、王家の馬車に乗せられる。

まるで高級ソファのような座り心地に感嘆したら、後から乗り込んだジェラールがオデットの隣に腰を下ろした。

シートは向かい合わせの四人掛け。護衛の騎士は御者の隣に座っているので、車内はジェラールとふたりきりだ。

彼に遠慮して進行方向とは逆側のシートを空けたというのになぜ隣に座るのかと目を瞬かせれば、いたずらめかしてウインクされた。

「隣の方が近いだろ。こうして肩に腕を回すこともできる」

ジェラールに抱き寄せられ、オデットは「キャッ」と声をあげた。

「ジェイさん」

カルダタンでの呼び名を口にして慌てて言い直す。

「王太子殿下、あの、この腕は……」

「今はふたりきりだからジェイでいい。いや、ジェラールと呼んで」

「ええっ⁉」

オデットが目を丸くしたら彼がプッと吹き出したので、どうやら冗談らしい。

揺れの少ない車内で肩を抱かれたまま数分、オデットの胸は高鳴り続けている。

布越しでも彼の逞しい筋肉の質感が伝わり、香水の甘い香りが鼻をくすぐる。

（このままだと心臓がもたないわ。離してくださいと言ってもいいかしら？）

車窓を見る余裕もなくおろおろしていたら、ジェラールがクスリとする。

「可愛い反応だな。君が素直に驚いたり照れたりするから、色々と試してみたくなる」

楽しげなジェラールが、オデットの帽子を取り上げた。

「あ、あの……」

顎先に指がかかり、顔を彼の方へ向けられた。

美麗な顔が至近距離にあり、艶めく瞳がゆっくりとさらに距離を詰めてくる。

いくら鈍感なオデットでもキスの予感に慌てる。

（ファーストキスなのよ。殿下は冗談のつもりでしょうけど、私は困るわ）

けれども唇が触れ合う前に外から御者の声がかかる。

「到着しました」

「残念。キスはまた今度」

クックと笑いながら言われたので、間もなく到着だとわかって迫っていたのではないだろうか。

返された帽子を深くかぶり直したオデットは、広い鍔で真っ赤に染まった顔を隠した。

（心臓が家出するかと思った……）

ここは中央地区にあるグスマン伯爵邸。門を潜った玄関前で馬車は停車しており、御者によって扉が開けられると立派な二階建ての館が構えていた。

白壁のブロックが陽光を反射させて美しい。

両開きのドア前では伯爵夫妻が待っていて、馬車から降りたジェラールに揃って頭を下げる。

「お待ちしておりました。王太子殿下が我が家をお訪ねくださるとは、恐悦至極に存じます。なにぶん狭い屋敷で恐縮ですがどうぞお入りください」

（えっ、これで狭いの？）

どこが狭いのかと言いたくなるが、王城に比べたらの話だろう。

夫妻は五十になろうかという年頃に見える。

グスマン伯爵は中肉中背で白髪交じりの薄茶色の髪を七三分けにし、瞳の色は灰青色で鼻髭が似合う紳士だ。

夫人はふくよかで化粧が濃く、右手の中指に大きなルビーの指輪をはめていた。

（ピジョンブラッドじゃないかしら？）

特定の地方で採掘されたルビーの中でも、とりわけ濃い赤みの最高級品をピジョンブラッドと呼ぶ。

大粒のものは非常に貴重で珍しく、オデットは前世で二度だけ出会うことができた。

胸をときめかせて指を組み合わせたら、咳払いをしたジェラールに肘でつつかれる。

（いけない、私ったら。失礼のないようにしないと）

我に返ったところで紹介される。

「こちらはカルダタンの宝石鑑定士、オデットさんです。手紙に書いた通り、今日は宝石について聞きたいので同行してもらいました」

今日の約束を取りつけるにあたっては、かなり大雑把な目的しか話していない。

ルビーがあしらわれた銀のスプーンについて聞きたいと前もって伝えれば、『存じません』と伝言のやり取りで終わってしまいそうだからとジェラールが言っていた。

「こんにちは。お邪魔します」

ペコリと会釈したオデットに伯爵が興味の薄そうな目を向けた。

ジェラールに対してはにこやかに歓待していたのに、オデットに対しては「ようこそ」とひと言だけである。普通の貴族令嬢なら気を悪くするところであろうが、のんきなオデットは見下されていることにも気づいていない。

通されたのは、中庭の薔薇が見える広い応接室。絵画や彫刻が飾られ、花瓶にも薔薇が生けられていた。

長方形のテーブルを四つのひとり掛けのソファが囲んでいる。

それぞれに腰を下ろしたら、黒服をきっちりと着こなした執事がサービスワゴンを押しながら入ってきて一礼した。

年齢は五十代半ばくらいだろうか。お手本のように礼儀正しい仕草だが、なぜか不機嫌そうな顔つきだ。

オデットの貧しい実家にも執事がいる。いつもにこやかな中年男性で、満足に給料を払えないというのに、代々仕えているからと義理堅く勤めてくれている。

オデットはどの館でも執事という存在は愛想がいいと思い込んでいたので不思議に思い、微かに顔をしかめている執事を凝視してしまう。

(もしかして寝不足かしら。それとも頭痛？)

「なにか?」

オデットの前に紅茶を置いた執事が、視線に気づいて問いかける。

「いえ、なんでもありません。ごめんなさい」

失礼だったかとオデットは首をすくめて目線を下げる。

すると給仕をする執事の右手の甲に、硬貨大の目立つほくろを見つけた。

ほくろではなくシミだろうか、などと気を取られたが、執事はオデットの視線に構うことなく給仕を終えると一礼して退室した。

ジェラールがすぐに本題に入る。

「まずは、これを見てください」

彼が懐から取り出したのは、スプーンを包んだシルクのハンカチだ。それをテーブルに置いてゆっくりと開きつつ伯爵の表情を観察している。

アランの銀のスプーンが現れても伯爵は首を傾げるだけだったが、一拍置いて急になにかを思い出したかのように目を見開いた。けれどもそれは一瞬だけですぐに驚きは隠されたため、のんびり屋のオデットはなにも気づかない。

「ほう。ルビーがついたスプーンですな。慶事用でしょうか。これがなにか?」

いかにも初めて見たと言いたげな伯爵に、ジェラールが真顔で説明する。

「ある少年がカルダタンに持ち込んだスプーンで、もともとは別の女性が持っていたようです。私はその女性を捜している。柄の裏にグスマン家の紋章が刻まれているのですが、心当たりはありませんか？」

「どれどれ、ちょっと拝見いたします」

スプーンを手に取り、ひっくり返して紋章を確かめた伯爵は、隣の席の夫人に問いかける。

「このスプーンに見覚えはないよな？」

「私は見たような気がしますわ。かなり前に使っていたものかしら。調べさせましょうか」

「いや、そこまでしなくていい。私の記憶にないのだから我が家のものではない。おそらく紋章を勝手に使った不届きなカトラリー職人がいるのだろう」

「なんのためにそんなことを？」

夫人と同じ疑問をオデットも持った。けれども伯爵は答えずに「お前は黙っていなさい」と夫人を注意し、話を終わらせようとする。

「王太子殿下、申し訳ございませんがこのスプーンについてはわかりかねます。我が家とは無関係のものでございますので」

ジェラールがスッと目幅を狭めた。

「本当に？　なにか隠していませんか？」

「いえいえ滅相もないことでございます。なぜお疑いになるのですか。我が家は争い事を好みませんので、王太子殿下のご命令には従う所存にございます。しかしながらこれに関しましてはお力になれず、大変残念に思うばかりです」

グスマン伯爵家は王家に反意を持つレオポルド派でも親王派でもなく、いわば中立派だ。『なにも危険はないから安心してついておいで』とオデットは前もってジェラールから説明されていた。

敵意はないが長居されては困るようで、伯爵がわざとらしくふらつきながら席を立った。

「実は昨夜は徹夜で仕事をしていたので体調が悪いのです。若い頃はひと晩くらい平気でしたのに、私も年をとったものですな。せっかくお越しいただいたのですが……」

夫人が怪訝そうに夫を見ている。

昨夜は私の隣で大いびきをかいていたでしょうと言いたげで、さすがのオデットでも伯爵が嘘をついているのではないかと勘繰った。

けれども体調不良という話は素直に信じて、斜め上の心配をする。

（きっとお腹を下しているんじゃないかしら。そういう時って客人に早く帰ってもらいたいわよね。わかるわ。私も接客中にあったから）

これ以上追及できなくなったジェラールは息をついて立ち上がると、作り笑顔を伯爵に向ける。

「どうぞお大事に。今日はこれで失礼します」

伯爵夫妻に見送られ、玄関を出て馬車に乗る。

「なにもわかりませんでしたね。アランさんはきっと期待して待っていますよね」

母親にたどり着けなかったと報告するのが心苦しい。

オデットは眉尻を下げたけれど、隣に座るジェラールに残念そうな雰囲気はなく、ニッと口の端を上げた。

「止めてくれ」

彼がひと声かけると、伯爵邸の角を曲がったところで馬車が停車した。

目を瞬かせるオデットに彼は降りるよう指示する。

「歩いて戻るよ」

「お忘れ物ですか？」

「そうじゃない。グスマン伯爵は明らかになにかを隠していた。知らないという言葉を鵜呑みにしてはならない。スプーンについては他にも調べる手段はある」

そのように説明されてもピンと来ていないオデットだったが、まだ諦めなくていいのだと笑みを取り戻した。

馬車を道の端で待たせ、ジェラールについて伯爵邸に戻る。

ドアノッカーを鳴らせば対応に顔を出したのは執事で、ジェラールを見た途端に不遜にも眉を寄せた。ただし、表情以外は執事らしく丁寧である。

「旦那様を呼んで参りますので先ほどのお部屋でお待ちください」

「いや、グスマン伯爵もご夫人も呼ばないでもらいたい。あなたに用がある」

「私、ですか？」

怪訝そうに見られたが相手が王太子では嫌とは言えないようで、玄関横の部屋に通してくれた。おそらく他家の従者や使用人、配達人などを待たせておくための部屋だろう。先ほどの応接室よりかなり狭く、正方形のテーブルに布張り椅子が二脚向かい合わせに置かれているだけで装飾性が低い。

オデットはもちろん、ジェラールも不満は言わずに勧められた椅子に座り、用件を伝える。

「銀食器の管理簿を見せてもらいたい。十六年以上前のものを持ってきてほしい」

貴族ならばどの家でも銀食器の管理簿をつけている。今より銀が貴重だった昔からの習わしで、管理責任は大抵執事にある。伯爵に白状させずとも、この執事に聞けばスプーンについての情報を得られるとジェラールは考えたようだ。

執事はいっそう眉間の皺を深めた。

「理由をお尋ねしてよろしいでしょうか？」

「ああ。このスプーンについて調べているからだ。見覚えはない？」

ルビーのついた銀のスプーンを見せると、執事は首を傾げる。

不愛想な人だがスプーンには興味を持ったようで、いくらか言葉が増える。

「見覚えはありません。ですが私はこちらに勤めて十年目です。十六年以上前のことは存じません。今、古い管理簿を探しますので少々お待ちください」

「グスマン伯爵に内緒で頼むよ」

「かしこまりました」

執事は主家に従順であるべきだが、彼は主人の許しを得ずに内緒で管理簿を見せるという頼みをあっさり承諾して退室した。

「彼個人が王族を嫌いなだけか。グスマン伯爵は中立派。そこは変わりないようでよかった」

閉じたドアを見つめるジェラールが、顎に手を添え独り言を呟いた。

「え?」

「いや、こっちの話。あの執事は忠誠を誓う相手が他にいるような気がしてね。グスマン伯爵の意思を尊重しているから不遜な態度を取っているわけではないと思ったんだ」

グスマン伯爵が王家に敵意を持っているなら由々しき事態だが、執事にはどう思われようと構わないらしい。

他貴族と一切交流がないオデットはなんのことやらとポカンとしてしまい、ジェラールがハハと笑う。

「オデットは難しいことを考えなくていいよ。君にはいつも宝石のように目を輝かせていてほしい。俺の周囲はドロドロしているから、無垢な好奇心や笑顔に触れると癒されるんだ」

テーブル越しに手を伸ばされ、よしよしと頭を撫でられる。

大きな手の温かさに胸を弾ませたらドアが開き、数冊の分厚い帳簿を抱えた執事が戻ってきた。一礼して、テーブルに茶色い革表紙の帳簿を置く。

「こちらがお求めの銀食器の管理簿です。十六年前から五年分ですが、必要でしたらさらに過去のものもお持ちいたします」

「ありがとう。たぶんこれで間に合うはずだ」

執事はドア前まで下がり、ジェラールが早速管理簿を膝にのせて開く。

それは十六年前の日付のもので、書かれている文字や数字を指でなぞりながら一ページずつ確かめている。

二十ページほど進んだところで、ジェラールの指が止まった。

「これだ」

オデットが身を乗り出すと、見やすいようテーブルに置いてくれた。

管理簿は銀食器の種類ごとに表が作られ、週に一度、すべてを数えて記入されている。いつどれを使用したか、磨き残しや傷など細かな状態も書き込まれていた。

その中に一か所だけ赤字のものがある。それはルビーのデザートスプーンの項目で、

『一本紛失』と書かれてあった。枠外に小さな字で恨み節のような事情も記されている。

『メイドのシュルビアが突然辞めたのは二日前。おそらく彼女が持ち去ったのだろう。しかし旦那様がスプーン一本で騒ぐなと仰り、捜索を許してくださらない。私に管理責任を問わないことだけは確認させていただいた』

非常に達筆な記載の中でそこだけ文字が乱れており、当時の執事の怒りや悔しさが窺えた。

「シュルビアさんという方が、アランさんの母親かしら……」

オデットと視線を合わせたジェラールも同じ推測をしたようで頷いてくれた。

それからドア前に控えている執事に問う。

「十六年前に勤めていたシュルビアという名のメイドについて知りたい。実家の住所などがわかる記録物はない？」

「この館に仕える者は下働きに至るまで身元をあらためられます。過去の使用人に関しましても実家の住所を記した名簿があるはずです」

これでアランの母親を見つけ出せると期待を膨らませたオデットだが、そう簡単にいかないようだ。

ジェラールが借りたいと頼んだら、執事が一拍黙ってから淡々と答える。

「使用人名簿は旦那様が管理しておりますので、私が勝手に持ち出すことはできません」

一度帰ったと見せかけこうして裏で詮索しているのがバレてもいいのなら、と執事は言いたげだ。

「それなら十六年前から勤めている使用人に話を聞きたい」

「残念ながら、この屋敷の使用人の中で私が一番の古株です」

嘆息したジェラールは顎に拳をあてて管理簿を見つめ、他の方法を模索している様子。

「シュルビア。我が国ではシルビアが一般的だ。北方系か？　戸籍を調べようにも姓がわからないからな。文句を言われそうだがカディオに調査させるか……」

（あら？）

ジェラールの独り言に引っかかりを覚えたオデットも考えに沈む。

（少し前に、私も似たようなことを思った気がするわ。シュルビアは珍しい名前ねって。いつだったかしら……）

「あっ！」

オデットが急に声をあげてパチンと手を叩いたから、ジェラールを驚かせてしまった。

「ごめんなさい。あの、思い出したんです」

「なにを？」

「アランさんが来店された日の三日前に――」

王都は久しぶりだという子爵夫人がカルダタンを訪れ、アンティークジュエリーを数点購入していった。子爵夫人には三十歳くらいのメイドが同行していて、たしかシュルビアと呼ばれていた気がする。

オデットはテーブルに身を乗り出すようにしてジェラールに問う。

「殿下がこのネックレスをくださった日です。覚えていらっしゃいませんか？」

「ああ、ブラウン子爵夫人か。あの人とは顔見知りだから、気づかれる前にそっと店を出たんだ。俺はメイドの名を聞いていないが、シュルビアというのか」

「はい。そういえばシュルビアさん、銀食器のショーケースをじっくり見ていらっしゃいました。モンテス商会についても私に尋ねてきたんです」

買う気はないと言いつつも、展示されているもの以外にも銀のスプーンはあるかと在庫を確認されて不思議に思ったのをオデットは思い出した。

子爵夫人には王都は初めてと話している様子だったのに、オデットには『この近くにモンテス商会があったと思うんですけど、まだありますか？』と行ったことがあるような聞き方をしたのも疑問だった。

それをジェラールに教えると、「よく思い出してくれた」と彼の目が弧を描いた。

テーブル越しに頭をポンポンと優しく叩かれてオデットは頬を染める。

（なぜかしら。殿下に褒められると、すごく嬉しくて照れくさい……）

それからふたりは不愛想な執事にお礼を言ってグスマン伯爵邸を出ると、待たせていた馬車に乗ってメインストリートまで戻ってきた。

西の空がうっすらと赤みを帯びている。

馬車が停車してからオデットは、この後どうすればいいのかとジェラールに尋ねた。

「すぐにアランさんに報告しますか？」

「いや、その前に母親に接触しようと思う。それは俺に任せて。ブラウン子爵を通して話をつけるから」

「わかりました」

アランを母親に会わせてあげられそうだとホッと笑みを浮かべたオデットだが、急に不安になって顔を曇らせる。

「どうした？」

「あの……」

シュルビアがアランの存在を否定するようなことを言ったらどうしようと、心配していたのだ。

「シュルビアさんの気持ちを考えていませんでした。もし手放した我が子に会いたいと思っていなかったら……アランさんが傷ついてしまいます。どうしましょう」

アランのためにと思っての行動が、余計なお世話だったのではないかと心が揺れる。泣きそうな顔をするオデットに目を見張ったジェラールが、フッと微笑んで肩を抱き寄せた。たちまち鼓動を高まらせる中で、耳元に響きのよい声を聞く。

「アランの心配をしているのか。オデットは優しいな。きっと大丈夫だよ。母親も会いたがっているはずだ」

オデットはあの時、スプーンのルビーから母親の気持ちを読み取っている。

幸せになってほしいという切実な感情を。

本当は自分で育てたかったのに他人に託さねばならなかった深い事情があるはずだと、ジェラールはオデットに話した。

「その事情に予想はついているんだが」

「えっ、どんな事情ですか?」

「後々わかるよ。すまないが時間切れだ。城に戻らないと」

ジェラールはごく自然にオデットの額に口づけた。

二度目でも驚いて目を丸くし、耳まで赤くなるオデットにクスリと微笑んだ彼は馬車のドアを開けた。

「気をつけて帰って。またね」

「はい。今日はありがとうございました」

オデットは走り去る馬車を見送ってからカルダタンに向かう。

(おでこが熱い気がする。殿下は慣れているんでしょうけど、私はドキドキするから困るわ……)

普段からぼんやりしがちなオデットだが、今は輪をかけて上の空である。

コロンベーカリーの前を通ったら、店番中のルネが待っていたとばかりに飛び出してきた。

「オデット、今日のデートはどう……わっ、すごいドレス！」

(あ、いけない。服のこと忘れてた。これを買ったお店で着替えさせてもらえばよかったわ)

ルネの勘違いに拍車をかけてしまうと心配しても時すでに遅し。

「ジェイさんに買ってもらったんでしょ。さすがお金持ち。ねぇ、付き合ってほしいって言われた？　もちろんオーケーよね？」

「ルネ、落ち着いて。今日出かけたのは交際の申し込みとかそういうのじゃなくて――」

「えっ、交際をすっ飛ばしてまさかのプロポーズ⁉　いいなぁ。私も早く彼と結婚したい。聞いてよ、彼ったらね」

（どうしよう。近所の人がこっちを見てる。早く着替えたいけど、ルネが楽しそうに話しているし……）

辺りが薄暗くなってもルネのお喋り（しゃべ）は止まらない。

コック帽をかぶったルネの父親が娘を叱りに来るまで、オデットは相槌を打ち続けた。


それから五日が経ち、ジェラールに買ってもらったデイドレスに再び袖を通したオデットはグスマン伯爵邸を訪問していた。

この前と同じ広い応接室には、ひとり掛けソファがひとつ追加されている。

そこには深緑色のワンピースを着たシュルビアが神妙な面持ちで腰かけていた。

彼女は王都から遠く離れたブラウン子爵の田舎屋敷で奉公していて、ジェラールが子爵を通じて呼び寄せたのだ。

昨日王都に到着したという彼女は驚き戸惑いつつもアランの母親だと認めたが、母子対面はまだ果たせていない。

(早くアランさんに会わせてあげたいのに、どうしてこちらに伺ったのかしら?)

ジェラールはシュルビアが子供を手放さなければならなかった理由まですべてわかっている様子だが、オデットには『ついておいで』としか言ってくれなかった。

角を挟んだ隣に座るシュルビアを見れば、スカートを両手で強く握りしめている。緊張に加え、なにかつらい思いに耐えているように見えた。

この場にはオデットたち三人の他に、グスマン伯爵夫人しかいない。

約束は十五時だが、ジェラールに早めに行こうと言われて三十分前に到着したため、外出中だという伯爵はまだ帰宅していなかった。

ティータイム時なので、目の前には紅茶と数種類のティーフーズが並んでいる。

到着してからずっと伯爵夫人がぎこちない笑みを浮かべて話し続けている。

「シュルビア、本当に久しぶりね。元気そうでよかったわ。突然いなくなって心配したのよ」

「あの時は、その……大変申し訳ございませんでした」

「責めているわけじゃないのよ。昔のことだもの。ブラウン子爵の館はどう? もし困っているならまたうちで雇ってあげてもいいわよ。あら、でもこんな言い方したらブラウン子爵に失礼ね。忘れてちょうだい。オホホ。それにしても主人ったら、遅いわね……」

伯爵夫人がドアをチラチラと見遣る。

王太子を待たせて機嫌を損なってはいけないと、ハラハラしているようだ。

「お待たせして申し訳ございません」

伯爵夫人がジェラールの顔色を窺うように謝ったが、その心配は無用である。

「約束の時間より早く着いたので、気遣いはいりません」

ジェラールは夫人との会話を広げようとせず、体ごと隣のオデットの方を向いていた。

「このフィナンシェ、アーモンドの風味が濃くて美味しいよ」

ひと口サイズのサンドイッチに焼き菓子、カットフルーツが、それぞれの皿に上品に盛りつけられている。

遠慮せずいただきなさいと勧められて、オデットはフィナンシェを口に運んだ。

「はい。あっ、すっごく美味しいです！」

甘いものを食べると幸せな気持ちになれる。

緊張感を一瞬で忘れてとろけそうな顔をすれば、ジェラールの目が弧を描いた。

「オデットは食べている時も可愛いな。君のスコーンを貸して。イチゴジャムを塗ってあげよう」

「あの、自分でできますので」

ジェラールはオデットといちゃいちゃできるのが嬉しいのか、かなり上機嫌だ。もしかすると早めに行こうと促したのは、この時間が欲しかったからなのかもしれない。

約束の十分前になって玄関の方で物音がした。

「やっと主人が帰宅したようです」

夫人がホッと表情を緩めると、グスマン伯爵が外出用のステッキを手にしたまま慌てた様子で応接室に入ってきた。

「お着きになっていらっしゃったとは。お待たせして大変申し訳ございません」

その目がシュルビアを捉えた途端に大きく見開かれ、ステッキが絨毯に落ちた。

シュルビアは立ち上がって一礼したが、挨拶はせず目も合わせずに静かにソファに腰を戻す。

「なぜ――」

言葉を切った伯爵にジェラールが真顔を向けた。オデットと戯れていた時の楽しげな雰囲気は消え、今の彼は支配者らしい威厳を醸して緊張感を生み出していた。

　思わずオデットは背筋を伸ばす。

「シュルビアさんを覚えているようなので紹介はいりませんね。彼女は私が呼びました。この前見せた銀のスプーンについて事情を知っているからです。グスマン伯爵も気になっていたでしょうから、今日は一緒に彼女の話を聞いてもらいます」

「いえ、私は――」

「座ってください」

　有無を言わせぬ態度のジェラールに指示され、伯爵は着席した。

　その顔色は悪い。

（気まずそうね。どうしたのかしら？）

　十六年前に銀のスプーンと一緒に行方をくらましたシュルビアがそうするならわかるが、なぜ伯爵がとオデットは疑問に思った。

　同じように伯爵夫人も夫の様子に首を傾げる中、ジェラールが懐から例のスプーンを取り出した。それを指先で遊ばせながら立ち上がり、ゆっくりと歩きだす。

　足を止めたのはシュルビアの座るソファの真後ろだ。

「十六年前、あなたはこの館から銀のスプーンを持ち去りました。そうですね？」

「はい。申し訳ございません……」

シュルビアは小声で謝り、頭を下げる。

伯爵夫人が眉を寄せて首を横に振った。

「シュルビアは私が熱を出した時に徹夜で看病してくれたのよ。優しくて真面目で、少し気の弱いところもあったあなたが、どうして盗んだりしたの？」

「赤子に銀のスプーンを握らせる習わしは、もちろん知っていますね？」

唇を噛むだけのシュルビアに代わり、ジェラールが答える。

「ええ、知っております。私の子供たちにも握らせましたので……えっ、シュルビア、あなたまさか？」

「そうです。彼女は当時十六歳で身ごもっていました。実家は貧しく仕送りをしていたと聞きましたので、帰るわけにいかず随分と悩んだことでしょう。追い詰められて正しい判断ができなくなりスプーンを盗んだ。ただし盗むという意識は低かったように思います。ただ生まれてくる子に幸せになってほしいという母性からスプーンに手を出したのでしょう」

（私も実家に仕送りしているから他人事に思えないわ。私ならどうするかしら？　家族に負担をかけたくないから同じように帰れないかも）

同情を寄せるオデットの視線の先ではシュルビアが、当時の気持ちを蘇らせたかのように固く目を閉じ、いっそう強くスカートを握りしめていた。

夫人が膝を寄せるよう身を乗り出して優しく声をかける。

「どうして相談してくれなかったの？　私はね、うちで奉公してくれる若い子たちを家族のように思っているのよ」

「それは……」

目を開けたシュルビアは、恐る恐るというように夫人の隣に視線を向けた。

その視線を辿り、夫人もオデットもグスマン伯爵を見る。

皆の注目を浴びた伯爵は青ざめて脂汗をにじませているが、笑みを作ると膝を叩いた。

「過去を懐かしむのも結構ですが、未来の相談をする方が建設的ではないですかな。シュルビア、生活に困ってここに来たんだろう？　百万ゼニーを援助しよう」

（やましいことがあるのね？）

宝石鑑定以外は鈍感なオデットでも気づくくらい、伯爵の言動は不自然だ。

ジェラールがおもむろに歩きだし、グスマン伯爵の横で足を止める。

非難の目で見下ろされても、伯爵はごまかそうと足掻く。

「せっかくお越しいただきましたが、昼に食べた生ハムがあたったのか腹具合が思わしくないのです。今日のところはこれで――」

「私が来ると体調不良に見舞われるのですか」

「いえ、殿下がいらっしゃったからというわけでは決してございません」

「グスマン伯爵。できればあなたから真実を話してもらいたかったが、仕方ないので私が言いましょう」

オデットはゴクリと唾をのむ。

ジェラールが続きを口にしようとしたが、シュルビアがスッと立ち上がった。

「私から申し上げます」

その声は覚悟を決めたようにはっきりとしていて、視線は伯爵夫人に向けられている。

「十六年前に身ごもった子供の父親は旦那様です。奥様、大変申し訳ございません」

シュルビアは絨毯に両手と膝をつき、夫人に深々と頭を下げる。

オデットは息をのみ、夫人はショックに固まっていた。

「シュルビア、なにを言うんだ！」

焦り顔のグスマン伯爵がソファから腰を浮かせたが、ジェラールに片手で肩を押さえられて唸った。

「私がこちらに勤め始めた十五の時から、旦那様に夜の相手をするよう命じられていました」

従わなければ辞めさせられると思ったため、拒否できなかったそうだ。

それなのに、妊娠したら解雇を言い渡された。

退職金としては多めの百万ゼニーをもらったが、他の使用人や伯爵夫人に挨拶もさせてもらえず、その日のうちに屋敷を追い出されたという。

「そんなのひどいわ……」

両手で口元を覆うようにしてオデットは呟いた。

バツが悪そうな伯爵は顔をそむけるように壁の方を見ている。

シュルビアは絨毯に座ったまま涙を拭い、続きを話す。

「王都で新しい職場を探しましたが、妊婦を雇ってくれる店もお屋敷もありませんでした」

安アパートに住まいを見つけ、なんとか無事に出産したけれど、赤子が三か月になる頃に退職金の百万ゼニーが底をついてしまった。

乳飲み子を抱えて路頭に迷ったシュルビアは、街角で同じように赤子をおぶった女性ふたり組を見かけた。彼女たちの夫はモンテス商会に勤めているらしく、その立ち話が聞こえてきたという。

『お館様のお孫さん、女の子ばかりでしょ。私が男の子を産んだものだから羨ましがられてね。養子にくれないかって言われたのよ。冗談だろうけどびっくりしちゃった』

（それで、経営者のお宅の前に赤ちゃんを置いたのね）

シュルビアは子供に愛情はあっても育てられる自信がなかった。

そんな時に聞いたモンテス商会のお家事情は、彼女に希望を与えた。

「私の子も男。養子にしてくれるんじゃないかと思ったんです。裕福な家庭で衣食住に困らない生活をさせてあげたかった……」

子供を手放したシュルビアは王都を離れ、ブラウン子爵の田舎屋敷でメイドの職を得た。そして十五年経ってブラウン子爵夫人の付き添いで王都に戻ってきたら、子供への心配が膨らんだ。

「あの子は養子となって幸せに暮らしているはずだと自分に言い聞かせて過ごして参りました。でも本当にそうだろうかと不安になったんです。それでカルダタンでは――」

もしお金に困る生活をしているなら銀のスプーンは売るはずで、店にあのスプーンがなかったからホッとしたそうだ。

もちろん王都には銀食器を買い取る店が他にもあるし、現在カルダタンの店頭に並んでいなくても過去にそのスプーンが売買された可能性もある。シュルビアはそれについては考えないようにし、息子が何不自由なく幸せに暮らしている証拠だと思い込もうとしたという。

（私に妙な質問をした理由がやっとわかったわ）

銀のスプーンの在庫やモンテス商会について尋ねられたことにオデットは納得した。

王都は初めてだとブラウン子爵夫人に嘘をついたのは、グスマン伯爵との関係を悟られないようにするためだろう。

オデットは幼い弟のリュカを思い出し、眉尻を下げた。

（手放してからも、ずっと気がかりよね。どうしているだろうって毎日思っていたんじゃないかしら。幸せに暮らしていると信じ込まないと不安で心が壊れてしまうわ）

けれどもアランの人生は、シュルビアが期待していたものとは程遠い。

「シュルビアさん、ソファに座ってください」

ジェラールに促されたシュルビアは、伯爵夫人にもう一度頭を下げて詫びてから静かに着席した。

「王太子殿下がブラウン子爵様を通じてお手紙をくださったんです。今日は息子のアランについて教えていただけるとお聞きしましたので、こちらに参りました」

手放した自分には会う資格はないが、息子について話だけでも聞かせてもらいたいと思って遠路はるばる王都までやってきたそうだ。

夫の過去の不貞を聞かされた夫人は頭を抱えるようにしてうつむいている。

グスマン伯爵は観念したようなため息を漏らし、その後は気まずそうに妻の様子を横目で窺っていた。

応接室に重たい沈黙が下りる。

皆の気持ちが落ち着くのを待っているのかと思ったが、柱時計を見たジェラールがオデットの真後ろにやってきて頭に手を置いた。

オデットが首を後ろに倒すようにして彼を見れば、クスリと笑って目を弓なりにする。

「そろそろだと思うよ」

「え？」

その直後に応接室のドアがノックされ、執事が顔を覗かせた。

「失礼いたします。王太子殿下のお使いだという少年が来ていますがどうなさいますか？」

少年と聞いてオデットはハッとした。

（時間をずらしてアランさんを呼んでいたのね？）

シュルビアが伯爵の夜の相手をさせられていたという告白は、子供に聞かせたくないだろう。

その話が終わったタイミングで呼び寄せたジェラールに、オデットは感心した。

「ここに通してください」

ジェラールの許可をもらった執事は一度退室し、すぐにアランを連れて戻ってきた。

今日も作業着姿のアランがおずおずと入室する。服も顔もすすけたように汚れていて、仕事を抜けてきたため身なりを整える暇がなかったようだ。

執事は一礼してすぐに退出し、ドア口で不安げに突っ立っているアランにジェラールが近づいた。「大丈夫」と優しい声をかけてその背に手を添える。

「彼の名はアランです」

シュルビアがソファから勢いよく立ち上がった。

会う資格はないと言っていたが、会いたさは募っていたのだろう。

息子を前にして歓喜に破顔しかけたシュルビアだが、その表情が悲痛なものに変わる。

「ああっ……」

アランの身なりを見れば今どんな生活をしているのか、おおよその見当がつく。

モンテス商会経営者宅で養子となり裕福に暮らしているはずだという願いは砕け散り、衝撃を受けているようだ。

ジェラールはアランがどのように生きてきたのかを説明した。

幼い頃から使用人のように働かされて学校にも通えず、今は無給で肉体労働を強いられているということを。

「シュルビアさん、あなたはアランくんの幸せを願って手放したと言っていましたが、残念ながら彼の人生は苦労の連続です」

アランは母親との対面を聞かされずに呼び寄せられたようで、驚いていた。

「あなたが僕のお母さん？」

嬉しそうに問いかける彼に、シュルビアは両手で顔を覆って膝から崩れ落ちた。

「アランを置いていくべきじゃなかった。不幸にしてごめんなさい。こんな私が母親を名乗るのは許されないわ……」

嗚咽（おえつ）を漏らすシュルビアを、オデットはおろおろと見ている。

（親子の再会は笑顔あふれるものだと思っていたのに、シュルビアさんを傷つけてしまったわ。どうしましょう）

余計なことをした気がして申し訳なく思ったが、アランが駆け寄りシュルビアの肩を抱いた。

「お母さん泣かないで。僕は会えて嬉しいよ。産んでくれてありがとう」

アランは許しているようだが、シュルビアは呻くように息子に謝り続ける。

それを遮ったのは伯爵夫人だ。

「シュルビアが謝る必要はないわ。過ちがあると言うなら、妊娠した時に私に相談しなかったことくらいよ。決して悪いようにしなかったのに」

先ほどまでショックに青ざめていた夫人は今、怒りに顔をしかめている。

ソファから立ち上がる仕草は上品だが、隣で居心地悪そうに鼻髭を撫でている夫を指さして声を荒らげた。

「謝らなければならないのはあなたでしょう。なにを堂々と座っているのよ。ひざまずいて、シュルビアとあなたの息子に詫びなさい！」

アランが目を見開いてグスマン伯爵を見た。

初恋を実らせるために、貴族だったら――と夢見ていた彼だが、まさか本当に伯爵家の血筋だとは思わなかったようだ。

けれど、それを喜ぶというよりは、どことなく困っているような顔にも見えた。

夫人に厳しく叱られたグスマン伯爵は眉間に皺を寄せた。

おそらくこの家の中では伯爵の意見が絶対で、妻に糾弾されたことはなかったのだろう。目をむいて言い返す。

「土下座しろというのか。この私に」

「それだけのことをしたでしょう？　これ以上、私を失望させるなら実家に帰らせていただきます」

妻から離縁を言い渡されるのと謝罪を天秤にかけて悩んだ伯爵は、唇を噛んでソファから下り絨毯に膝をついた。シュルビアとアランに向け、ゆっくりと頭を下げる。

「申し訳ないことをした。これから償いをさせてほしい」

グスマン伯爵はアランを実子と認めて引き取り、シュルビアもこの館でアランと一緒に暮らすことを提案した。

オデットはホッとした。これで離れ離れだった親子の道がひとつに戻され、高い身分を得たアランは初恋相手のお嬢様に告白できると思ったからだ。

喜びを分かち合いたくてジェラールを見たが、視線は合わない。

彼は眉を寄せ、それでいいのかと問いたげにアランの反応を静かに窺っていた。

アランは、逡巡するように数秒黙ってから返事をする。

「僕はこれからもモンテス商会で働きます。両親に会えて嬉しいけど一緒には暮らしません」

「どうして？」

シュルビアがまだ涙の乾かぬ瞳にアランを映して問いかけた。

するとアランは立ち上がって誇らしげな顔をした。

「三日前に初めて給料をもらったんです。戦力になっているとお館様が言ってくれました。今後は他の従業員と同じ給料体系にして、仕事の出来次第で昇給もできると約束してくれたんです」

その報告にオデットも喜んだが、無給の奴隷状態から急に解放されたのはなぜだろうと不思議に思う。

（あ、もしかして殿下が？）

そういえばカルダタンで会った時はお忍びのジェイの姿だったというのに、今日ここに来たアランはジェラールが王太子だと知っていた。

オデットが知らないうちにジェラールは王太子としてモンテス商会を視察し、アランの待遇改善を命じたのではないだろうか。

オデットがジェラールを見つめていると、今度は視線が交わりウインクを返された。

（やっぱりそうなのね。可哀想に思ってもなにもできなかった私と違って、殿下は頼もしい方だわ）

「オデットさん」

頬を染めていたオデットは、急にアランに呼ばれて肩を揺らした。

「は、はい」

「スプーンを持っていった時に教えてくれましたよね。ルビーとサファイアが同じ石だってことを」

「ええ……」

ふたつの宝石はコランダムという同じ石。そこに混ざる不純物で色の違いが生まれ、ルビーの方が希少価値が高いので高額で取り引きされる。

確かにそのような説明をした覚えはあるが、今の話の流れにどう繋がるのだろうか。

オデットは目を瞬かせ、アランは胸を張った。

「何色だろうと僕は僕。それなら伯爵家の紋章がついたルビーじゃなくて、自分の力での上がってサファイアとして輝きたいんです。僕は今の環境で働いて学び、いつか独立します。そして、モンテス商会より大きな貿易商社を築きたい。恋した人に選んでもらえるような立派な男になってみせます」

オデットは思わず拍手を送った。

「アラン……」

シュルビアは雨上がりの太陽を見ているように、眩しそうに息子を見上げる。

「お母さん、たまに会って話をしよう。手紙は毎週書くよ。僕はそれだけで十分幸せなんだけど駄目かな」

「私も十分よ。あなたからお手紙が届くのを楽しみに、これまで通りブラウン子爵のお屋敷で働くわ」

母親に手を貸し立たせてあげたアランに、グスマン伯爵夫妻が感心したような目を向けている。

満足げな笑みを浮かべたジェラールは、アランに歩み寄ると懐からシルクのハンカチを取り出した。それにはあの銀のスプーンが包まれている。

「これを君に返そう」

「えっ」

代金をもらっているので売買は成立しているのにとアランは言いたげだ。

「君が持っていることに価値があるスプーンだ。グスマン伯爵、それでいいですね？」

ソファに腰を戻したところだった伯爵は、ジェラールに問われてハッと背筋を伸ばした。

「もちろんでございます」

お礼を言って受け取ったアランは、ハンカチを開いてスプーンを見つめる。

戻ってきたことを喜び、これからもっと頑張ろうと意気込んでいるようなその笑顔は、ルビーよりも眩しく輝いていた。

グスマン伯爵邸を後にしたオデットは王家の馬車に乗って帰路につく。

車内はジェラールとふたりきりで、一件落着の余韻に浸りながら笑顔でお礼を述べる。

「アランさんをお母さんに会わせてくださってありがとうございます。アランさんの待遇についても気がかりだったのでホッとしました。なにもかも王太子殿下のおかげです」

オデットができるのは宝石にしみ込んだ想いを読んで相手に伝えることだけなので、その先に関しては手助けできずに歯がゆい思いをした経験がある。

「いや、オデットの不思議な鑑定力がなければ始まらなかった。君の功績が大きい」

くつろいだ姿勢で隣に座っているジェラールがオデットの髪を撫でた。

度重なるスキンシップに慣れてきて驚きはしなくなったが、胸はしっかりと高鳴る。髪をすくように触れる男らしい指先と褒め言葉を照れくさく感じ、オデットは頬を染めた。

「殿下はお優しいですね。私、王家の方は一般市民の生活にご興味がないだろうって、勝手に思っていました。すみません」

頭を下げて偏見を謝り尊敬の目を向けたら、ジェラールが苦笑した。

「いつも誰に対しても優しいわけじゃない。正直に言うと、城下の民のひとりひとりに目を向けていられるほど暇でもないからね」

「えっ？」

だったらどうしてアラン親子を助けてくれたのかと目を瞬かせたら、拳三つ分の距離まで急に顔を近づけられた。

「どうしてかわからない？　オデットに喜んでほしかったからだよ」

「私のため、ですか？」

「そう。もっとオデットと仲良くなりたいんだ」

友人関係においても仲良くという表現を使うが、至近距離にある琥珀色の瞳は蠱惑(こわく)的(てき)に艶めいていた。香水の甘い香りが鼻孔(びこう)をくすぐり、オデットの頬は紅潮して否応なしに鼓動が高まった。

(からかっていらっしゃるのよね……?)

まさか王太子に好意を寄せられているとは思えず、オデットは逃げるように身を引いた。

できる限り窓の方に寄って彼との距離を空けたのだが――。

「おっと、揺れるな」

高級馬車の乗り心地は抜群で、整備された石畳の道は心地よいリズムを与えるだけ。

それなのに揺れのせいにして、ジェラールが窓に片手をついた。もう一方の手はオデットが頭をぶつけないよう後頭部に回されて、魅力的な唇が距離を詰めてくる。

「キャッ」

控えめな悲鳴をあげたオデットが固く目を閉じたら、頬に柔らかいものが触れた。

鼓動は振り切れんばかりだが、唇へのキスに身構えていたためいささか拍子抜けである。そのまま体が離されもとの体勢に戻り、オデットはキョトンとする。

「あれ?」

頬に手を触れ戸惑っていたら、ジェラールがプッと吹き出した。

「唇にしてほしかった？　初心な君との仲は少しずつ詰めないとと思ったんだが、していいなら――」

「困ります！」

心臓が壊れそうな冗談はやめてほしいと首を横にブンブンと振ったら、ジェラールが眉尻を下げた。

「そんなに嫌？」

おそらくジェラールは女性に拒否されたことが一度もないのだろう。

まだ動悸が治まらないオデットは彼に背を向けるようにして深呼吸しており、見目麗しき王太子のプライドをまたしても傷つけたことに少しも気づいていなかった。

カルダタンは大勢の客で賑わう店ではないが、ポツポツと訪れる客はじっくりと商品を吟味(ぎんみ)して購入する。

今日は開店してすぐに中年の婦人がやってきて、オデットと世間話をしながら二時間ほど迷って、宝石のついたオルゴールを購入した。

「いい買い物ができたわ。可愛い店員さんありがとう」

そう言って嬉しそうに退店する婦人を見送ったオデットは、口角を上げてジュエリー磨き用の専用クロスを手に取り、商品陳列棚に並んでいる品物をひとつずつ丁寧に拭く。

（困ったわ。お客さんがいないと、どうしても思い出してしまう……）

なにをかというと、グスマン伯爵邸からの帰路の馬車内でジェラールに迫られたことである。

甘く艶めく瞳に、魅惑的な笑み。

『唇にしてほしかった？』と冗談を言った響きのいい声が、今でも耳から離れない。

（わっ、危ない。商品を落とすところだった。殿下のことばかり考えてドキドキしていたら壊してしまうわ）

深呼吸して落ち着こうとしたら、作業部屋のドアが開いてブルノが出てきた。

「オデット、修理が済んだジュエリーを届けてくるから店番よろしくな」

「あの指輪ですね。わかりました。行ってらっしゃい」

亡き夫から最後にもらった宝物なのに壊してしまったと修理を依頼してきたのは、杖をついた老婦人だった。普段配達はしていないが歩くのが大変そうな老婦人を思いやり、ブルノは届けることにしたようだ。

オデットは人情味のあるブルノの人柄が好きなので、この店で働けて幸せだと今日も思う。

カランコロンとドアベルが鳴る音を背後に聞きつつ、オデットは商品磨きに戻る。

手に取ったのは、片手サイズの小さな丸い宝石箱だ。

蓋に埋め込まれているのはモルガナイトで、花形にカットされている。

モルガナイトは宝石彫刻によく使われる石で、色はピンクやオレンジ、紫がかったものもあり、濃いピンクのものが高値で取り引きされる。

この宝石箱の石は薄いピンクでインクルージョンも目立つため価値は低く、それならばとカット職人が思い切って花形に加工したと思われる。

オデットは宝石箱のほこりや手あかを丁寧に拭き取ってにっこりする。

「とっても綺麗よ。買ってくれる人が現れなくてもがっかりしないで。あなたは素敵な宝石箱だから、いつかきっと素敵なお客様が迎えに来てくれるわ。もう少し待っていてね」

宝石箱を棚に戻したその時、誰もいないはずの店内で後ろから伸ばされた手がオデットを抱きしめた。

「キャアッ!」

驚くオデットの耳元で、響きのよい声がする。

「素敵な君を迎えに来る男は俺だからね。それまで誰のものにもなってはいけないよ」

「殿下?」

胸を弾ませて振り向けば、ジェラールがいた。黒縁眼鏡と庶民の服で変装していても美貌と気品を隠しきれていない彼が、おかしそうに笑う。

「こらこら。今の俺はジェイだよ。ブルノさんが出かけていても、呼び方を間違えないよう習慣づけて」

ブルノの外出を知っているということは、入れ替わりに入ってきたのだろう。

ドアベルの音が鳴らなかったのはそのせいだ。

「ジェイさん、驚かさないでください。心臓が逃げ出してしまいます」

胸に手をあて呼吸を整えれば、大きな手に頭を撫でられた。

「ごめん。オデットがあまりにも可愛いことを言うから抱きしめたくなったんだ。お詫びにこれを」

彼が無造作に胸ポケットから取り出したのは女性向けのブローチだ。小粒ダイヤが取り巻く中心には、オーバルブリリアントカットが施された真っ赤なルビーが輝いている。濃く深い極上の赤色なので、ピジョンブラッドに間違いない。

「鑑定させてください！」

たちまち興奮するオデットにジェラールはニッと口角を上げた。

「もちろんだよ。ただしこれは君へのプレゼントだから、鑑定するだけじゃなく、身につけてほしい」

「ええっ⁉」

パッと見た限りルビーは五カラットほどもありそうで、小粒ダイヤを合わせたら一千五百万ゼニーは超えそうだ。

抱きつかれた時より驚くオデットに、ジェラールがサラリと言う。

「ほら、先月グスマン伯爵邸を訪問した際に、夫人がピジョンブラッドの指輪をしていただろう。オデットが目を輝かせていたから宝石商に注文しておいたんだ」

たしかにグスマン伯爵夫人の指輪に興奮したけれど、鑑定欲が湧き上がっただけで欲しかったわけじゃない。

ジェラールが仕事用のエプロンにブローチをつけようとするから、慌てたオデットはその手を両手で握って阻止した。

「待ってください。高価なジュエリーはいただけません。すでにダイヤのネックレスもいただいているのに、これ以上は――」

「オデットのために作らせたんだよ。受け取って」

「駄目です。こんな仕事用のエプロンにつけたら、ルビーが泣きます」

「それなら、このブローチに似合うドレスを買いに行こう」

ジェラールが張り切った顔をして、デイドレスから夜会用のものまで数種類、それに合わせた靴やバッグ、レースの手袋に羽根扇などの小物も揃えようと言いだした。

王太子なので人並外れた財産を持っているのは想像できるけれど、恋人でもないのに買ってもらうわけにいかないとオデットはさらに慌てた。

(殿下って強引なところがあるのよね。どう話したらわかってもらえるかしら)

「せっかくのお申し出ですけど、ドレスを着る機会はありませんし、なによりしまう場所がありません。私のキャビネットは小さいんです」

「わかったよ。キャビネットも買い物リストに加えよう」

「ええっ⁉　困ります。ダイニングキッチンを部屋として借りているので、大きな家具は置けません」

「そうなのか」

彼の眉尻が下がったのでこれで納得して諦めてくれたかと思ったが、なにかをひらめいたように指を鳴らした。

「家を買ってあげるよ。それとも城に住む？　俺の私室の続き部屋をオデットの部屋にすれば毎日朝晩、君に会える。そうしよう。だが、カディオに阻止されそうだな。使用人宿舎には入れたくないし、客室の長期使用にはそれ相応の理由が必要だ。どうするか……」

嬉しそうな顔をしたり眉を寄せたりしながら、ジェラールはブツブツ呟いている。

プレゼントの規模がこれ以上大きくなるのは怖いので、両手を握りしめたオデットは珍しく強い口調できっぱりと断った。

「なにもいりません。私は今の暮らしに満足しているんです！」

これにはジェラールも焦ったようで、ブローチを持つ手を引っ込めて謝ると困り顔で問う。

「それなら君はなにを贈られたら喜んでくれるんだ?」

その時、カランカランとベルの音が響いた。

この店のものではなく、外からの音にオデットはパッと笑顔になる。

「パンが焼き上がった知らせだわ!」

間もなく十二時で、昼食用のパンを買いに行こうと思っていた。

コロンベーカリーのパンはどれも美味しいが、オデットが一番好きなのはアップルシナモンパイ。サクサクパイの中に入った甘いカスタードクリームと甘酸っぱいリンゴの相性が抜群で、シナモンの香りが食欲を増進させる。

いつも食べ終えると、もうひとつ買えばよかったと思うほどの大好物だ。

「焼き立てはどのパンかしら。アップルシナモンパイだったらいいのに。レーズンのハードパンも美味しいし、私がメロンパンが食べたいと言ったらメニューに加えてくれたのよ。メロンが入っていないのになんでその名前?と不思議がられたわね。明日の朝食用にクルミパンも買うわ。もっちりメープルパンとシナモンロール、ベーコンとコーンのピザ風も捨てがたいし、クロワッサンもサクサクふわふわで……」

　胸の前で指を組み合わせたオデットは、ゴクンと喉を鳴らすとジェラールに頭を下げた。

「ジェイさん、すみませんが、五分ほど店番をお願いします」

　コロンベーカリーは遠方から買いに来る客もいて、なかなかの人気店。ブルノの帰宅を待っていたら、アップルシナモンパイが売り切れてしまうかもしれない。

　しかしドアへと勇んで歩きだしたら、肩を掴まれ引き留められた。

　やる気に満ちた顔のジェラールが頼もしく胸を叩く。

「俺が買ってくる。全種類。オデットは紅茶を淹れて待っていてくれ」

「で、でも、殿下にそんな用事を――あっ、行っちゃった」

　やっとオデットの喜ぶものがわかったとばかりに、ジェラールは張り切って店を飛び出してしまった。残されたオデットは呆気に取られてドアを見つめる。

（いいのかな。前世の言葉を使うなら、パシリにしてしまったわ……）

　世界広しといえども、王太子である彼にパンを買いに走らせることができる女性はオデットしかいないだろう。それはジェラールがオデットの気を引こうとしているからなのだが、恋愛事に鈍感なオデットは目を瞬かせただけだった。

十分後、紙袋を抱えて戻ったジェラールに、三角巾とエプロン姿のルネがついてきた。昼時は忙しいはずなのにとオデットは首を傾げる。

三人で猫脚の丸テーブルを囲んで立ったら、ルネがジェラールの背を強めに叩いて笑った。

「オデットのためにパンを全種類買うって言うから止めてあげたよ。そんなに食べきれないでしょ。買ってあげるなら指輪にしなさいとも言っておいたから」

どうやらそのやり取りを伝えるために、わざわざついてきたようだ。

(止めてくれてありがたいけど、それだと振り出しに戻っちゃう)

ルネはジェラールの手から紙袋を奪い取って、中のパンをテーブルに並べる。

「オデットの好きなアップルシナモンパイとメロンパン。コーンとベーコンのピザ風。焼き立てだよ。明日の朝食用のクルミパンとクロワッサンもね。これでいい？」

「ええ、ちょうどいいわ。ありがとうルネ。あ、ジェイさんもありがとうございます」

ついでのお礼のような言い方になってしまったためか、ジェラールが嘆息して椅子に腰を下ろした。

オデットはティーポットからカップに紅茶を注いで彼の前に置く。

「昼食用のパンを半分にして一緒に食べましょう」

にっこりと提案すれば、気落ちしていたジェラールの口角が上がる。

「オデットとパンを分け合って食べるのか。それはかなり嬉しいな」

半分こに喜んだジェラールは、ちらりと横目でルネを見る。

「はいはい。お邪魔虫は消えるわよ。店に戻らないと親に叱られるしね」

笑いながらそう言ったルネは、なぜか左手を顔の横に掲げた。

そこでやっとオデットは気づく。

「その指輪はもしかして！」

ルネの左手の薬指に、これまで見たことのない指輪がはめられていた。

台座はプラチナで、石はダイヤモンドカットが施されたモルガナイトではないだろうか。窓からの光を浴びて、淡いピンクの石がキラキラと輝いていた。

口元に両手をあてて驚くオデットに、ルネが頬を染めて報告する。

「昨日の夜、ダニエルとレストランでデートして、プロポーズされたの。付き合ってまだ三か月だから早いと思ったんだけど、結婚してからお互いをもっと知ればいいって言ってくれて、そうよねって思ったんだ」

「わー！　ルネおめでとう。私もとっても嬉しいわ！」

ルネの恋人はダニエル・ヘインズ、二十五歳。

オデットは彼を一度だけコロンベーカリーの前で見かけたことがある。

会話を交わしてはいないが、ルネがデートのたびに嬉しそうに報告してくれるので、半分知り合いのような感覚でいる。

身長はジェラールと同じくらいに高く、スラリと細身でなかなか端整な顔立ちだ。

王城騎士として活躍する彼は城内の寄宿舎に住まなければいけないらしく、結婚してもルネはこのまま実家住まいでパン屋の仕事も続けるそうだ。

「彼、パン屋は継げないけど婿入りしてくれるんだ。私はひとり娘だから、両親も喜んでる。騎士のお勤めがお休みの日だけうちで過ごすって」

「ひと月に四日程度しか一緒にいられないのは寂しいけど」とルネが付け足した。

オデットもつられて眉尻を下げたが、慰める前にルネは自分で気持ちを立て直す。

「うちの両親に言わせると、私はワガママでガサツでうるさいんですって。お淑(しと)やかな妻にならないと帰ってこなくなるぞって脅すのよ。だからこれからは立派な王城騎士の夫を、静かに応援できる妻にならなくちゃ」

淑女を目指すと言いつつもガッツポーズで気合いを入れるルネに、オデットはフフと笑う。

「ルネはそのままでいいわよ。きっとダニエルさんもルネの明るくて一緒にいると楽しいところに惹かれたんだと思うの」

「だよね。妻に淑やかさを求めるなら私を選ぶはずないもの。あーよかった。結婚したら性格を変えないといけないかと思って困ってたの。オデットありがとう」

ふたりが笑い合う横では、ジェラールが紅茶のカップを口につけたまま、なにかを逡巡しているように固まっていた。

「ジェイさん、紅茶が渋かったですか？」

蒸らし時間が少々長かったかと思って問いかけたら、我に返ったような彼が「いや」と否定する。

「紅茶は美味しいよ。オデットは淹れるのが上手だ。考えていたのはそれじゃなく――」

ジェラールが言うには、独身の騎士は城内の寄宿舎で寝起きする決まりだが、妻子がいる者は城下に住まうことを許可しているという。

ダニエルの説明とは違うようで、「えっ」と呟いたオデットはルネを見た。

「ダニエルは騎士を退役するまで寄宿舎暮らしって言ってたわよ。ジェイさんの情報が間違っているんじゃない？　どこからの情報？」

ダニエルは騎士になって六年経つそうで、彼が言うなら間違いないとルネは主張するが、王太子のジェラールが王城騎士の規則を知らないはずはない。

「でもジェイさんはおうた——」

うっかりジェラールの素性を漏らしそうになったら、素早くジェラールの腕が伸びてオデットの口を塞いだ。

同時にもう一方の手で引き寄せられ、彼の膝の上で横座りの格好になる。

(殿下の上にのっちゃった。どうしよう!)

「気をつけて」

耳元で囁かれてゾクゾクドキドキするオデットを、ルネが勝気な目を三日月形に細めてからかう。

「ちゃんと進展しているようでよかった。オデットはぼんやり娘だから、そのくらい押せ押せでいった方がいいわよ」

「オデットのパンの好みを熟知している親友が言うなら間違いないだろう。今後はより積極的に口説くことにするか」

オデットは口元から彼の手を押し下げて、真っ赤な顔で抗議する。

「もうっ、からかわないでください」

ジェラールの膝から下りたオデットは、ダニエルの話に戻そうとルネの左手を取った。

「このモルガナイト素敵ね。透明度が高くて色も綺麗だわ」

ルネの婚約指輪の石は淡いサーモンピンクで、モルガナイトとしての価値は高くないが若い女性に似合う可愛らしい色合いだとオデットは思う。

しかし褒めたつもりが、ルネを驚かせてしまった。

「えっ、ピンクダイヤじゃないの？」

「うん。輝き方がダイヤとは違って……ルネ？」

眉を寄せて薬指の指輪を見つめるルネは、呼びかけられてハッと顔を上げた。

「ダニエルがピンクダイヤだって言ってたから……」

カラーダイヤモンドは希少価値が高く、品質がよければかなり高額で取り引きされる。ピンクダイヤの宝石言葉は〝完全無欠の愛〟で、どうしてもルネに贈りたいとダニエルは奮発したらしい。そのせいで生活費が足りないと言うので、ルネが援助したそうだ。

「ダニエルは宝石商に騙されたのかも」

「それは大変！　鑑別書を作ろうか？」

ダイヤモンドの品質が書かれたものは鑑定書と言い、それ以外の石は鑑別書である。

その石がどんな種類で、天然か人工か、加熱や漂白などの処理が施されているかなどが記されたものなのだが、前世のように科学的な鑑別ができる精密機器がないので、この世界では宝石鑑定士の見識眼による証明書となる。

ピンクダイヤと偽ってモルガナイトの指輪を売りつけた悪徳宝石商にオデットが書いた鑑別書を見せれば、きっと謝罪して交換してくれるだろう。

「ルネ、指輪をもっとよく見せて」

オデットの指先がモルガナイトに触れたら、ルネが慌てて左手を引っ込めた。

(あれ？　その石って……)

「鑑定しないで」

宝石商に騙されたと知ったらダニエルが傷つくからとルネは言った。

「それにこの石にはダニエルの愛が込められているの。プロポーズされた時、本当に嬉しかった。私はこれが好きだから本物のダイヤと交換してほしくない。婚約指輪の価値は値段じゃないわ」

「うん、わかった。余計なこと言ってごめんね」

(でも……)

引っかかりを感じてオデットの心がざわついた。

指先が触れた瞬間、モルガナイトにしみ込んだ想いが流れてきたのだが、それはダニエルの愛情ではなく若い女性の気持ちだった。

(四人の女性の強い想い。裏切られて悔しいという……。婚約指輪なのに新品じゃないようだし、どうして?)

ダニエルはピンクダイヤを宝石商から買ったと言ったそうだが、もしかすると資金不足で中古の指輪にしたのかもしれない。だとすれば、モルガナイトだと知っていた可能性もある。

裏切られたという恨みの感情が四人分もしみ込んでいるのも気になるところだ。

オデットの目が不安げに揺れたら、店の外から娘の名を呼ぶコロンベーカリー店主の大声が聞こえた。

「ルネ! この忙しい時に油売ってないで戻ってこい!」

「いけない、長居しすぎた」

慌てて飛び出していくルネを、オデットは顔を曇らせて見送った。

「座りなよ。焼き立てパンを食べたかったんだよね?」

ジェラールが手で割って半分にしてくれたので、オデットは彼の隣に座り、アップルシナモンパイから手に取った。

歯を立てるとサクッと小気味いい音がして、パイの香ばしさとリンゴの甘酸っぱさを感じる。ほんのり温かくてとても美味しいけれど、ルネの婚約指輪が気になって食事を楽しめない。

「オデットと分け合って食べると、距離がグンと縮まった気がして嬉しいな」

「そうですね……」

「口の端にパイの皮がついているよ。取っていい？　俺の唇で」

「はい……」

「心、ここにあらずか」

頬をつつかれてハッと我に返ったら、真顔のジェラールにじっと見つめられていて鼓動が跳ねた。

「ダニエルという男を怪しんでいるの？」

言い当てられてオデットは目を丸くした。

「どうしてわかるんですか？」

「俺もそう思ったからだよ。さっきも言ったように、妻帯者の王城騎士は城下に住まうことが許されている。これは間違いない」

ルネと毎日一緒に過ごしたくない理由があるのか、もしくは王城騎士という身分自体が嘘かもしれないとジェラールが眉をひそめて推測を語った。

「ダニエル・ヘインズと言ったね。在籍しているかどうかは調べればすぐにわかる。それは俺に任せてくれ」

「ありがとうございます。あの、ルネには……」

「わかっている。結果がどうであれ、俺から彼女にはなにも言わない。オデットを通すから」

万が一、ダニエルが王城騎士でなかった場合、ルネへの伝え方には配慮が必要だ。友達を傷つけたくないという気持ちを察してくれて、オデットはホッとした。

「それでオデットの方は？」

「え？」

「指輪に触れた瞬間、驚いていただろ。どんな想いを読み取ったんだ？」

プロポーズを喜んでいるルネを気遣って、驚きは極力控えたつもりでいた。

それなのに気づかれて、オデットの頬が赤くなる。

（私の顔をじっと見ていたのね。恥ずかしいわ）

けれども照れている場合ではなく、モルガナイトにしみ込んでいた四人の女性の恨みについて説明した。

「なるほどな。ダニエルの魂胆がなんとなく読めた」

それを説明してほしかったが、まだ憶測の域を超えていないからと教えてくれなかった。

「ダニエルがルネに会いに来ても、オデットは関わるなよ」

「どうしてですか？」

「今の時点では、どれくらいの危険人物かわからないからだ。純朴で素直な君だから、簡単に騙されそうで心配だ」

「危険はないと思いますよ。紳士的で優しいってルネが言っていました」

デートの際にドアを開けてくれたり椅子を引いてくれたりは当たり前で、さりげなくルネの髪に薔薇の花を挿してくれたりもするそうだ。

遠方にいる彼の両親は高齢で持病があり、兄夫婦が面倒をみていて、それを申し訳なく思った彼はせめて金銭的援助をと給料の半分も仕送りしているらしい。

そういうところを尊敬しているとルネが話してくれた。

「だからデートでの食事代はいつもルネが払っているそうです。結婚したらもっと協力するつもりって言っていました。ルネの方こそ優しいですよね」

張り切った顔で胸を叩いたルネを思い出し、オデットはフフと笑う。

するとジェラールに、『ほらな』と言いたげな呆れの目で見られた。

「とにかく、俺が調べるからオデットは接触しないこと。約束してくれないと、君を攫って俺の部屋に住まわせるから」

ウインクつきなので冗談のようだが、オデットの胸はしっかりと高鳴る。

(なんて答えたらいいのかわからなくて困るわ……)

頬が勝手に火照るのを感じて恥ずかしくなる。

微笑む彼から目を逸らしたオデットは、大好物のパイに集中しようと口いっぱいに頬張った。


数日が経ち、オデットは十五時で仕事を上がらせてもらい出かける支度をしている。

カルダタンの休みは二週間に一度しかないが、用事がある時は出かけていいし疲れたら休んでもいいと言われているのでむしろ働きやすい。

今日はこれから理髪店に行こうとしている。

(この前、自分で髪を切ったらガタガタになっちゃってルネに直してもらったのよね。お金がもったいないって言わずにお店で切ってもらうわ)

「ブルノさん、行ってきます」

シンプルな水色のワンピースを着たオデットは、外に出て空を見上げた。

夏も終わりに近づいて、心地いい日差しが降り注いでいる。

(あの雲、ドーナツみたい。コロンベーカリーはドーナツも美味しいのよ)

そう思って右隣の店舗を見ると、ちょうどルネが出てきた。声をかけようと思ったら長身の男性がルネの後から通りに現れたので、上げかけた手を引っ込めた。

(ダニエルさんだわ。今日は騎士のお勤めはお休みかしら?)

そう思ったがグレーの詰襟の騎士服を着ているので勤務後に立ち寄ったか、もしくはこれから仕事なのかもしれない。

ルネのはしゃいだ声がする。

「少しだけでも会えて嬉しかった。お仕事前なのに気を使わせてごめんなさい」

「いいんだよ。愛しい君を寂しがらせるわけにいかない。かなり忙しい時期なんだが、できる限り時間を作って会いに来る。どんなに疲れていようともね」

「ダニエル……」

ぼうっとのぼせたように頬を染めるルネを見ながら、オデットはモヤモヤした気持ちにさせられた。

(殿下ならそういう風に言わないわ。公務が多忙なはずなのに、いつも『暇だったん

だよ。気にしないで』と言ってくれる方だもの）

ダニエルの言い方だと、自分なら喜ぶよりも罪悪感を覚えそうだとオデットは眉を寄せた。

（でもルネが幸せそうだから、それでいいのかも）

ダニエルはルネと別れて通りを東へと歩きだした。

ルネは父親に呼ばれてすぐに店内に引っ込んでしまったので声をかけられず、オデットはコロンベーカリーの前を素通りして理髪店に向かう。その店は南東に六ブロックほど進んだ場所にあり、のんきにてくてくと五分ほど歩いて気づく。

（私、ダニエルさんの後をついていってるみたい）

歩幅が違うので徐々に距離は開いているものの、二十メートルほど先に濃いグレーの騎士服の背中が見えていた。

（これからお仕事だと言っていたのに、どうして同じ方向なのかしら）

王城へ行くなら北東へ向かうはずで、この先にあるのは理髪店に服屋に本屋、大衆食堂や酒場など、庶民向けの小さな繁華街だ。

おかしいと疑問を持ったオデットは見失わないよう歩調を速める。

（殿下に注意されたけど、接触しなければいいのよね）

呼び止めるのではなく行き先を確かめるだけなら大丈夫だと、自分に言い訳する。

誰かを尾行するのは初めてなので緊張に鼓動は高まり、いけないことをしているような気持ちになった。

必要以上にこそこそしているためか、通行人に不審そうに見られつつ住宅街を進む。

前方に遅咲きの赤い薔薇を咲かせた民家が見えた。

その前でダニエルが急に足を止めたのでオデットは慌てて隠れる場所を探す。

けれども彼は振り向かず、薔薇に手を伸ばして一輪を手折った。

（えっ……）

胸に薔薇の花を挿し、なにごともなかったかのように歩く彼にオデットは眉をひそめた。

（勝手に持っていくなんてひどいわ。丹精込めて育てた薔薇を盗まれたら、この家の人が悲しむのに）

尾行しているため注意はできずに十分ほど進み、繁華街に入った。

（お店に入るみたいね。あそこは……）

ダニエルがドアを開けたのは、若い女性が接待してくれる酒場。

まだ夕暮れ前の明るい時間帯だが、中から酔客の大きな笑い声が漏れていた。

「マシューさん、待っていたわ。今日もお勤めご苦労様。お疲れでしょう？」

　女性従業員の弾んだ声がして、大きくスリットの入った濃いピンク色のドレスがちらりと見えた。

「疲れているから君に癒してもらいに来たんだ。王城騎士ほどハードな仕事はない。今日は俺の部隊が盗賊団を仕留めてね。実に激しい戦闘だった」

「強い男性は素敵だわ」

「それなら俺の恋人になる？」

　ドアが閉まると会話は聞こえなくなり、オデットは酒場の前に立ち尽くす。

（恋人って……冗談よね。マシューさんと呼ばれていたのは、どういうこと？）

　ルネにはこれから勤務だと話していたのに、今のやり取りでは仕事終わりになっていたのも疑問だ。

（もしかしてダニエルさんは、嘘だらけの人？）

　先ほど見た幸せそうなルネの横顔を思い出し、オデットは胸を痛めた。

　それと同時に怒りが沸々（ふつふつ）と湧き上がる。

（ルネに生活費を援助してもらっているのに、こんな高そうなお店に通っているのも許せないわ。やめてくださいって言わないと）

たとえ雨上がりの道で馬車に泥水を浴びせられても、買ってきたばかりのハムが腐っていても困ったと思うだけのおっとりとしたオデットが、こんなに怒りを覚えたのは初めてだった。

ぎゅっと両手を握りしめてから酒場のドアを勇んで開ける。

「いらっしゃいませ。あらお嬢さん、どうしたの？」

対応に出てきたのは三十代くらいの女性店主で、大人の色香があふれている。

小柄で子供にも見られそうなオデットが、ひとりで酒を飲みに来たとは思えないのだろう。店主は首を傾げていた。

「すみません。さっき入ったお客さんに用があるんです」

「マシューさんのこと？」

「はい。揉め事を起こして大変申し訳ありませんが、文句を言わせてもらいます」

「あ、ちょっと！」

店主の横をすり抜けてずんずんと通路を進み、ボックスシートでビールを飲んでいるダニエルの前に立った。

彼は両脇に若い女性をはべらせていて、濃いピンクのドレスを着た女性の結い髪には彼が道すがらに手折った赤い薔薇の花が挿してあった。

(この女性へのプレゼントだったのね。そういえばルネも薔薇をもらったと嬉しそうにしていたわ。それも盗んだものかもしれない)

「君は――」

眉を寄せるオデットに、ダニエルが目を見開いた。会話したことはないけれど、ルネに話を聞いているからかそれとも見かけた時があるのか、ルネの友人だと気づいたようだ。

「ダニエルさんひどいです。ルネに――」

急に立ち上がって通路に出たダニエルが、オデットを抱きしめた。胸に強く顔を押しあてられて、文句はフゴフゴと言葉にならない。ジェラールに抱きしめられた時のようなときめきは一切なく、ダニエルの腕の中は煙草の匂いと嫌悪感がするだけだ。ジタバタともがくオデットを抱えたまま、ダニエルが店主に笑って言う。

「ごめん。この子、俺に気があってさ。ちょっと優しくしてあげたら恋人になれたと勘違いしたみたい」

(なに言ってるの⁉)

店主や従業員に「あらあら」と笑われた。

「迷惑かけたくないから外で説得してくるよ。今日の飲み代はつけといて」

オデットを抱えて店外に連れ出したダニエルは、隣の建物との間の狭い路地でやっと手を離した。

オデットは飛びのくように下がって、ダニエルと対峙した。

「嘘ばかりついて。ルネを騙したんですか？」

垂れ目では威力がないが、精一杯キッと睨んで問い詰めた。

それなのにダニエルは酒屋の外壁に背を預け、転がっている酒瓶を爪先で遊ばせて余裕の顔をしている。

「君は隣の店で働いているルネのお友達だったたな。なにが嘘だって？」

「まずは名前です。ダニエルさんなのかマシューーさんなのか、どっちなんですか？」

「どっちも。ダニエル・マシュー・ヘインズ、だよ」

「えっ」

マシューはミドルネームだと言われ、オデットはキョトンと目を瞬かせる。

「そうなんですか。偽名だと思ってすみませんでした」

名前については納得したが、まだ疑惑は残っている。

両手を握りしめたオデットは、表情に慣れない険しさを取り戻して質問を続ける。

「これから仕事だとルネに言っていたのにどうして酒場に入ったんですか。ルネから金銭援助の話は聞いています。ルネのお金で遊ぶのはやめてください」

するとダニエルが急に周囲をきょろきょろと確認し、人差し指を口にあてた。

「しっ。声を落として。これは機密だが、実は今まさに任務中だ。この店が悪党集団と繋がっているという情報があって、客のふりして調べている。酒代は国から支給されたものだから、ルネのお金じゃない。そこは安心してくれ」

「そうだったんですか」

あっさりと信じたオデットは深々と頭を下げて謝罪した。

「すみませんでした」

（私ったら、勝手な思い込みで大事な任務を邪魔してしまったわ。短絡的で本当に申し訳ない）

「わかってくれたらいいよ」

許してもらえてホッとしたら、壁から背を離したダニエルに腕を掴まれた。

「あ、あの……」

「君の名は、オデットだったっけ？　結構、可愛い顔をしているな。ルネから俺の話を聞いて羨ましかったんだろ。女は騎士が好きだからな。ルネに内緒で付き合ってやろうか？」

「なに言ってるんですか。私は絶対にルネを裏切ったりしな……キャッ！」

壁に背を押しつけられて、ダニエルの両腕に囲われた。下唇を湿らせた彼がニヤつきながら顔を近づけてくる。

とっさに顔を覆ってキスを防いだら、酒臭い息が手の甲にかかった。

「キスくらいいいだろ。バレたら女の友情は崩壊するだろうけどな。だから、ここで俺と会ったことはルネに教えない方がいいんじゃないか？」

どうやらダニエルは本気でオデットを口説こうというのではなく、口止めが狙いであるようだ。顔を隠すように防御しているオデットの両手を掴んで簡単に外すと、笑いながら唇を奪おうとしてくる。

恐怖に体をこわばらせたオデットが思い浮かべたのはジェラールの顔。

「助けてください、ジェイさん！」

来るはずないとわかっていても縋（すが）る思いで彼の名を呼べば、誰かの走る靴音が聞こえた。

「オデット、ここか！」

「えっ？」

鈍い衝撃音がしてダニエルが吹っ飛ばされ、尻もちをついた。

殴り飛ばしたのはジェラールだ。強い力でオデットを引き寄せ腕に抱きしめた彼はお忍びの装いで、周囲に護衛の騎士はいない。

「大丈夫？　なにもされてない？」

焦り顔で問われたオデットは、驚きで声を出せずにコクコクと頷いた。

（本当に助けに来てくれた……）

恐怖から解き放たれても動悸が治まる気配がないのは、頼もしい腕の中にいるせいだ。

しかし、ときめいている場合ではない。

痛そうに顎を押さえて立ち上がったダニエルが、足を踏み鳴らして怒鳴りつける。

「なんだお前は。この子の男か？」

「下品な言い方は好まない。恋人と呼べ」

（ええっ⁉）

一瞬真に受けて驚いたオデットだが、お忍び中の王太子の彼とどんな関係かを説明するのは自分でも難しく、便宜的に肯定したまでだと受け止めた。

「たかが恋人風情が殴りつけていい理由にはならないぞ。この騎士服を見ろ。楯突けば牢にぶち込んでやる」

「それはこっちの台詞だ。オデットの唇を奪っていたら、この程度で済まさないところだった」

「庶民がなに言ってやがる。俺は王城騎士だぞ？」

「へぇ、王城騎士が暴行事件を起こすのか。愚弄するなよ。所属と名前は？　本物の騎士ならば胸に階級章があるはずだが、なぜつけていない？」

険しい面持ちのジェラールは変装用の眼鏡を外して素顔を見せた。

王城騎士なら王太子の顔を知らないはずがないのに、ダニエルは気づかない。

しかしながら騎士の身分を疑われたことには焦っているようで、話を切り上げようとする。

「階級章はつけ忘れただけだ。俺はもう行く。大事な任務中でお前ごときに構っていられないんだ」

ダニエルが逃げるように立ち去ると、オデットはようやくジェラールの腕から解放してもらえた。

胸に手をあて、鼓動を静めようと深呼吸したら、心配そうに顔を覗き込まれる。

「怖かったよな」

（この激しいドキドキは、殿下に抱きしめられたせいなんです……）

その想いは恥ずかしいので打ち明けられず、「大丈夫です」と伝えて頭を下げた。

「助けてくださってありがとうございました。でもどうしてここにいらっしゃるんですか?」

「ああ、それはね――」

ジェラールはダニエル・ヘインズという騎士に関する調査結果を持って、カルダタンを訪れたそうだ。けれども理髪店に行ったとブルノに言われ、髪を切ってより可愛らしくなったオデットを誰より先に見たいと思って追いかけていたら、助けを呼ぶ声に気づいたという話だった。

ジェラールが困り顔でオデットを叱る。

「俺が現れなかったらどうなっていたことか。接触しないように言っただろ。約束を守ってくれないなら、本当に城に連れて帰るよ」

「ご、ごめんなさい。二度と危ない真似はしませんので、お城はちょっと……」

恋人でも妃候補でもないのに連れ帰られては大変だとオデットは一生懸命謝って、それから気になっていた調査結果を尋ねた。

「ダニエルさんは王城騎士だと嘘をついていたんですよね?」

「ダニエル・ヘインズという王城騎士は実在した。だが五年前に退役している上に年齢は四十だ。あの男ではない。俺が思うにはおそらく——」

退役者と知り合って騎士服を買い取り、名前は勝手に拝借したのではないかというのがジェラールの推測だ。

彼は眉を寄せて続ける。

「一昨年、騎士服の色合いを少々薄いグレーに変えたんだ。太陽光を吸収して夏は暑さが厳しいと苦情が出たからね。あの男が着ていた騎士服は、今と比べてグレーの色が濃い。つまり古いタイプということだ」

退役者は騎士服の返納が義務づけられているのだが、本物のダニエル・ヘインズはその規則を破って持ち帰ったのだろう。その者については事情聴取するよう命じたらしい。

「そうだったんですか。じゃあマシューさんが本名なのかしら……」

「どういうこと？」

オデットは酒場でのやりとりを報告した。

ジェラールに言われた通り、まんまとダニエルの言い分を信じてしまった点には呆れられたが、これでルネを騙して金づるにしているのが判明した。

「私、悔しいです。ルネはダニエルさんを心から愛しているのに、許せません！」

オデットがリスのように頬を膨らませたら、ジェラールがプッと吹き出した。

「オデットは怒った顔も可愛いな」

からかうようなことを言った彼は、オデットの頬を包むように手を添える。

たちまち頬を染めれば、琥珀色の目がなにかを狙って弧を描いた。

「キスしていい？」

「額にですか？」

彼からの額へのキスは二度経験しているが、少しも慣れることなく胸はしっかりと高鳴っている。

「唇だよ」

「ええっ⁉」

「俺だって我慢しているというのにダニエルにされそうになっていただろ。俺の可愛いオデットに暴挙に出るとは許せないな。あの男、後々泣くほど後悔させてやる」

嫉妬むき出しで顔を近づけられ、オデットは慌てた。

ジェラールからのキスは嫌ではないけれど、唇は困る。

（そんなことされたら好きになってしまいそう。没落令嬢の私が王太子殿下に恋しても、失恋するだけなのに）

「あの、あの」

焦りで拒否する言葉が出てこないが、キスされたのは唇に触れないギリギリの位置だった。

（あれ？）

体の距離を戻した彼は残念そうな目をする。

「俺はダニエルのような真似はしたくない。オデットの心がもう少し俺に向くまで、唇へのキスは取っておくよ」

（無理やりはしないのね。よかった……）

ホッとすると同時に寂しい気もして、無意識に自分の唇に触れた。

それを見たジェラールが口の端を上げる。

「もう少しか……」

「え？」

「こっちのこと。さて、奴の顔がわかったから身元の調査はすぐ済むだろう。追い詰める際にはオデットも行く？」

「はい。ぜひご一緒させてください。ルネに心から謝るよう説得します」

両手を握りしめて意気込めば、クスリと微笑したジェラールによしよしと頭を撫でられた。

　時刻はティータイム時。

　仕事用のエプロンを外したオデットは、カウンター内にいるブルノに頭を下げる。

「たびたびお店を抜けてすみません」

「いや構わないよ。見ての通り客はいないし、事情はわかったから」

　酒場での一件から三日が経ち、ダニエルの素性が判明した。

　事情とは、これから問い詰めに行くことだ。オデットの隣にはジェラールがいる。

『今日は仕事が詰まっていて急いでいる。悪いがこれからすぐに出かけよう。一時間で決着をつける』

　急にやってきてそのように話した彼は着替える暇もなかったようで、貴族的なブラウスとズボンを身につけている。

　宝飾品は外して上着は小脇に抱え、変装用の眼鏡はかけているものの、醸し出される気品から王太子だとバレないかオデットは心配していた。

　けれどもルネが婚約者に騙されているという話を聞かされ驚いているブルノは、ジェラールの装いにまで意識が回っていないようだ。

「ブルノさん、行ってきます」

「ああ、気をつけてな。ジェイさん、オデットをよろしく頼むよ」

「お任せください」

ふたりがドアを開けて外へ出たら、バスケットを腕にかけたルネと鉢合わせた。

「あっ！」

オデットはビクッと肩を揺らす。ダニエルについてルネに暴露するのは決着がついてからにしようと思い、先延ばしにしている。

（教えようと思ったんだけど、婚約指輪を嬉しそうに見つめるルネが可哀想ですごく言いにくい。どう話せばルネの傷が浅く済むかしら……）

直接ダニエルに謝罪させるのではなく、詫び状を書かせる方がいいかもしれない。

平気で人を騙すような男だから、謝らせようとしても逆にひどい言葉を浴びせそうで心配していた。

なにも知らないルネは今日も快活そうな笑みを浮かべている。

「出かけるの？　焼き立てのブルーベリーマフィンでティータイムにしようと思って来たんだけど」

「う、うん。ちょっとジェイさんと、ええと、その……」

嘘をつきなれていないオデットはとっさの言い訳を思いつけないが、ルネが察したようにニマッと笑った。

「デートなんだ。ジェイさん、随分めかし込んでるじゃない。あっ、そういうことね」

ルネがオデットを引き寄せ、耳元で囁く。

「きっと今日、すごくいいことがあるわよ。彼がくれる指輪はすごそう……おっと、私が言ったら台無しね。ごめんごめん。後で素敵な報告が聞けるのを楽しみにしてる」

どうやらルネは、ジェラールがプロポーズするために立派な装いで迎えに来たのだと勘違いしたようだ。

対してオデットは後で報告をと言われて、ダニエルのことを勘づかれたかとヒヤヒヤしていた。

「う、ううん。ルネごめんね。後でね」

ぎこちない笑みを浮かべて冷や汗を流せばさすがにおかしいと気づかれたようで、ルネが首を傾げる。

「オデット？」

するとジェラールがオデットの腰に腕を回して歩みを促した。

「マフィンはブルノさんとふたりでどうぞ。予約の時間が迫っているから俺たちは行くよ」

「レストランを予約しているのね。行ってらっしゃい。楽しんで！」

ルネがブンブンと手を振り満面の笑みで見送ってくれるから、オデットは後ろめたい気持ちになる。

（ごめんね。でもルネには幸せになってほしいから、あんな人と結婚してほしくないの）

少し広い道に出ると道の端に公共の馬留めがあり、立派な毛艶の白馬が一頭休んでいた。

「盗まれないようにちゃんと見張ってたよ」

ジェラールにそう言ったのは十歳くらいの街の少年だ。

「ありがとう。はい、これはお礼だよ」

「わっ、銀貨だ。ヤッター！」

飛び跳ねて喜んだ少年が走り去ると、ジェラールは白馬の顔をよしよしと撫でた。

「馬で来たんだ。乗って」

「あの私、乗馬経験がないんです。どうやって乗ればいいのかわかりません」

「大丈夫、手伝うよ」

ジェラールの腕がオデットの太ももに回され、軽々と抱き上げられた。

心臓が大きく波打ち赤面すると同時に、急に高くなった視界に驚いて思わず彼の頭にしがみついた。

「オデットの胸は柔らかいな。永遠に顔を埋めていたいけど、このままでは馬に乗れない」

「キャア！」

笑いを含んだ声で指摘され、慌てて彼の顔から胸を離そうとする。

するとバランスを崩してまた悲鳴をあげた。

ジェラールは楽しそうに笑っている。

「大丈夫。大切な君を落とすようなヘマはしない。俺を信じて」

「は、はい」

「いい子だ。鞍（くら）の縁に掴まってごらん。そうそう。お尻はそこに」

ジェラールに手伝ってもらって鞍に横座りし、彼はその後ろに飛び乗ってオデットを抱えるように手綱を持った。

「俺の胴に腕を回して掴まって」

素直に指示に従えば、ほどよく引きしまった筋肉や体温を感じてときめいてしまう。

（落ち着いて。殿下は紳士だから女性には分け隔てなく優しいのよ。勘違いしたら後で泣くことになるわ）

高まる鼓動をなんとか宥めすかし、速足で駆ける馬の背に揺られること十五分ほどで目的地に着いた。

「ここがあの男の家だ」

南地区の海辺に近い閑静な住宅街に建つ古い一軒家。赤瓦の屋根と白漆喰の壁の平屋で、ライラックやミモザの木が植えられた小さな庭がある。

芝生には手作りの木のブランコがあって、座面に布製の人形が置かれていた。

馬から降ろされたオデットは、ブランコと人形に目を丸くする。

「子供のいる家。その子はもしかして……」

庭木の幹に馬を繋いだジェラールが、オデットの疑問に苦々しげに答える。

「あの男の本名はブライアン・ホッジ。妻と三歳になる娘の三人家族だ。ここはホッジ夫人が亡き両親から相続した家で、財産と呼べるのはこれだけ。一家の経済状況は貧しい」

確かに古い家はあちこち修繕が必要なようだが、職人に頼む余裕がないのか屋根瓦の欠損箇所には板があてられ、壁のひび割れには素人が補修したような塗りむらがあった。

ルネからの援助は一家の生活費に使われたのだろうかと、オデットは眉尻を下げる。

「酒場で遊ぶのに全額を使ったわけじゃないのね。それなら……」

納得とまでは言えないが怒りの目盛りを少し下げたら、ジェラールが嘆息した。

「オデットは優しいな。あんな男にほんの少しも同情はいらないんだよ。酒場で女性従業員を口説いていたと言ったね。おそらく次のターゲットにしようとしていたんだろう」

次のターゲットとは、ルネのように騙して金を貢がせる対象という意味だ。

ジェラールが臣下に命じて調査したところ、結婚をチラつかせて金銭援助をさせていた女性はルネの他にふたりいるとわかった。ただ、それは現在交際中の人数で、過去に関係のあった女性は少なくとも四人いるはずだとジェラールは推測する。

「指輪から読み取っただろ？」

「あっ！」

ルネの婚約指輪に触れた時、流れ込んできた女性たちの悔しさをオデットは思い出した。

ブライアン・ホッジはプロポーズの言葉とともにあの指輪をターゲットに贈り、真剣交際を信じ込ませた。そして相手の優しさに付け込んで最大限に金銭援助を引き出し、入籍の話になる前に別れを告げる。返還させた婚約指輪は次のターゲットに。

そうやって騙されたという四人の女性の想いがモルガナイトにしみ込んだのだろう。

「ひどいです。ブライアンさんに恋した女性たちが可哀想」

オデットが泣きそうに顔をしかめたら、ジェラールが頷いてオデットの頭を撫でた。

「だから同情はいらないと言ったんだよ。ブライアン・ホッジは結婚詐欺師だ。断罪しなければならない。行こう」

「はい」

ジェラールが玄関前に立ち、オデットは彼の背に隠れつつ緊張して汗ばむ手でワンピースの胸元を握りしめた。

塗装の剝げかかったドアをジェラールがノックすると、中から「はーい」と間延びした男性の声がした。

対応に出てきたのはブライアン本人で、険しい面持ちのジェラールと、その背後から顔だけ覗かせたオデットに目を見開いた。

けれども驚きは一瞬だけで少しも慌てることなく、室内に向けて声を張り上げる。

「職場の人が来ているから庭で話をしてくる」

中から女性の声がしたが、なにを言ったのかまでは聞き取れない。

「いや、挨拶はいらないから。熱があるのに起きてきたら駄目だ」

今度は舌足らずな子供の声がして、どうやら父親と一緒に庭に出たがっているようだ。

「エミー、後で遊ぼう。お父さんは大事な話があるんだよ。お母さんといい子で待っていなさい」

妻子がいると隠さない彼に、オデットは面食らった。

（普通は嘘がバレたら焦るわよね。どうして平気な顔をしているの？）

ブライアンはドアを閉めると庭の端に移動し、こちらが問い詰める前に勝手に幕引きを図る。

「わかった。ルネとは別れよう。これでいいだろ？」

ヘラヘラしている彼にオデットの怒りが加速する。

「そんな風に軽く言わないでください。ルネは心からブライアンさんを愛していたんですよ。その気持ちを利用してお金を騙し取るなんて、少しも申し訳ないと思わないんですか？」

「思ってるよ。だから別れる。それともこのまま交際を続けろと言いたいの？」

「それは、駄目ですけど……」

「なら話は終わりってことで。ルネに謝罪はしに行くよ。婚約指輪を回収しないといけないし」

王都から遠く離れた実家に帰ると理由をつけて関係を解消するとブライアンは言った。

「君はルネの心配をしているんだろう？　それなら騙されていたと教えない方がいい。なるべく傷つけないように優しく振るよ。他に注文は？」

「ありません、けど……」

ルネの心の傷を浅くしようと思うなら、ブライアンの提案をのんだ方がいいのかもしれない。

だが釈然としない思いは残るので、どうしたらいいのかと情けない顔で隣を見た。

それまでオデットが怒りをぶつけるのを黙って見守ってくれていたジェラールは、まんまと丸め込まれたオデットの頭をポンポンと叩いてから、交替とばかりに厳しい視線をブライアンに向けた。

「少しも反省がないようだな。婚約指輪を返してもらったら、次は酒場の女性に贈るのか？」

「へぇ。俺のことをよく調べているな」

「ブライアン・ホッジ。お前は偽りだらけの人生に虚しくならないのか？　妻子にまで嘘をついて。結婚詐欺で稼いだ金で養われても、お前の家族は喜ばないだろ」

　それまでふざけた笑みを浮かべていたブライアンが急に目つきを険しくし、声を大きくする。

「お前になにがわかる。こうでもしないと暮らしていけないんだよ！」

（王都には働き口がたくさんあるのに、どうして真面目に働かないの？）

「帰れ！」

　怒鳴られてオデットが肩をビクつかせたら、ジェラールが背中にかばってくれた。

　その時、ドアが開く音がして、ブライアンがハッと振り返る。

「あなた、もうやめて」

　弱々しい声で呼びかけ、ふらつきながら庭に出てきたホッジ夫人は、二十五歳くらいに見えるほっそりとした美人だ。先ほど熱があるような会話をしていたが、ただの風邪とは思えないほど血色が悪くやつれている。

　娘のエミーも一緒に出てきて、外で遊べると喜びブランコによじ登った。

　ブライアンは倒れそうな妻に駆け寄り支えているので、エミーにはオデットが付き添った。

「おねぇしゃん、押して」

「うん、いいよ。一緒に遊ぼう」

(意味はわからないかもしれないけど、子供に聞かせていい話じゃない)

話し合いはジェラールに任せることにしたオデットは、子供の相手を買って出た。

申し訳なげにオデットに会釈(えしゃく)した妻を、ブライアンが心配する。

「寝てないと駄目だろ。話は終わったから家に入ろう」

けれどもホッジ夫人が首を横に振った。

「こんなことはもうやめて。人を騙してお金をもらったりしないで」

「聞こえていたのか……」

動揺するブライアンに夫人が悲しげに頷いた。

「今気づいたんじゃないわ。前々からおかしいと思っていたの」

ブライアンは家族に洋品店で働いていると嘘をついていたらしい。しかし仕事に出かける時間はまちまちで、給料だと言って渡してくれる額も一定ではない。今日のように夫人が寝込んでしまえば、仕事を休んでも平気だと言って看病や子守りをしてくれる。どこでなにをしているのかまではわからなかったが、少なくとも洋品店で働いているというのは嘘だと思っていたそうだ。

「まさか、結婚詐欺だなんて……」

涙を浮かべた妻から、ブライアンはたまらず目を逸らした。

ホッジ夫人は夫に掴まっていた手を離すと、ジェラールに深々と頭を下げる。

「夫が騙したルネさんという方は、あなたのお知り合いでしょうか。大変申し訳ないことをしました。それは私のせいなんです」

ホッジ夫人は出産時に生死の境をさまよって以降ずっと体調が思わしくないそうだ。月の半分は熱を出し、起き上がれないほどに具合が悪い日もあるという。

仕事を度々休まねばならなくなったブライアンは、五年勤めていた食品販売店を解雇された。新しい勤め口を見つけても、同じ理由でクビにされてしまうので、結婚詐欺師に辿りついたのではないかという話だった。

（そうだったの。可哀想ね……）

オデットはホッジ夫妻に深く同情した。本心ではブライアンも悪に手を染めたくなかったのではないかと思うと、責める気持ちが急速にしぼんでいく。

「いち、に、しゃん、ご、じゅう。おねぇしゃん、ぶりゃんこ、もっといっぱい！」

「う、うん。よーし、もっと強く押すよ。しっかり掴まっていてね」

幼いエミーは無邪気にはしゃいでいて、それが救いでもあり、この子の未来を案ずれば無垢な笑顔に胸が締めつけられもする。

（ブライアンさんを許してあげたいけど、それはルネが決めることだわ）

ジェラールも病弱な夫人を前にしてはブライアンを責められないようで、難しい顔をして黙ってしまった。

夫人は涙を流し、もう一度頭を下げた。

「ルネさんに私もお詫びしに伺います。夫がいただいたお金もお返しします。どうかそれで許してください」

「返すって言ったって……」

困り顔のブライアンが家屋に振り向いた。

ルネからの援助は生活費に消え、財産はこの家しかないと言いたげだ。

「あなた、この家を売りましょう。それでルネさんと、他の騙したお嬢さんたちに返金しましょう」

「どこに住めばいいと言うんだ。あてがないだろ。それにこの家には亡くなった君の両親の思い出がしみついている。手放すのは君にとって身を切られるようにつらいはずだろ」

「それでも売るわ。あなたを悪人にしたくないもの。私たちにはエミーがいるのよ。悪いことをしてはいけないと教えられなくなるわ」

顔色が悪くても、夫人は強い眼差しを向けて夫を説得しようとしている。

「なんてこった……」

うなだれたブライアンは、「わかった」とため息をついた。

大人たちは黙り込み、小さな庭にはエミーのはしゃぐ声だけが虚しく聞こえている。

その重苦しい雰囲気を打ち破るかのように、若い女性の声がした。

「私への返金はいらないわ」

オデットが弾かれるように庭の出入口に振り向けば、コロンベーカリーのエプロンを着たままのルネが真顔で立っていた。どうやら話を聞いていたようで、結婚詐欺にあった事実も受け止めている雰囲気だ。

「ルネ……」

オデットはブランコを押すのを忘れ、両手で口元を覆った。

「なぜここに？」

驚いて問いかけたジェラールに、ルネは肩をすくめた。

「オデットの様子が変だったからよ。デートなのに悲しそうで、目が泳いでもいたし。

気になったからどこに行こうとしているのか見届けようと思ったの」

それでも馬に乗ったふたりをよく追いかけてこられたものだ。

その疑問がジェラールの顔に表れていたのか、ルネが鼻を鳴らした。

「白馬にふたり乗りって目立つのよ。童話の王子様みたいじゃない。走って追いかけて途中で見失ったけど、道行く人に聞きながら進んだら、ここに辿りついたわ。私に内緒にしたかったんなら、もっとコソコソしなさいよ」

ツカツカと庭に入ってきたルネは、バツが悪そうなブライアンの前へ腰に手をあてて立った。

「私になにか言うことはない？」

「騙してすまない……」

「本当よ。乙女心をなんだと思ってるの。この婚約指輪、使い回しの上にピンクダイヤじゃないなんて。オデットに指摘された時にあんたなんかをかばわず、詐欺を疑っておけばよかったと後悔しているわ」

ルネは指輪を外すと、押しつけるようにブライアンに返した。

「ルネさん、夫が大変申し訳ありませんでした。家を売ってお金は必ず返しますので、どうか……」

夫人は祈るように指を組み合わせ、ルネに許しを請う。

ルネが被害を訴えれば、ブライアンは捕縛されて裁判にかけられる。禁固刑が言い渡されたら、母子は生活していけず死活問題だ。

オデットは慌ててエミーを抱き上げて、ルネに駆け寄った。

「ルネあのね、奥さんが病気がちで、ええと……」

一家をかばおうとしたのだが、ルネの怒りや悲しみを思えば言葉が続かない。

（許してあげてほしいけど、ルネの気持ちも大切だわ。どうすればいいの？）

眉尻を下げたオデットに、ルネは無理して笑みを作った。それからブライアンに厳しい目を向ける。

「お金は返さなくていいと言ったでしょ。悪い男に引っかかった私が馬鹿だったのよ。勉強代だと思っておく。でもね、可哀想だから許してあげるって言えるほど私は綺麗な性格してないのよ。だから――」

バチン！と痛そうな音が響いた。

ルネがブライアンの頬を思い切りひっぱたいたのだ。

ジェラールがとっさに腕を伸ばしてエミーの視界を遮ったので、父親が叩かれた様子を幼い娘は見ずに済んだ。

頬に手形をつけて顔をしかめているブライアンに、ルネがニッと口角を上げた。

「これで許してあげる。あんたね、こんな美人な奥さんと可愛い娘がいるのに、女性を口説くんじゃないわよ。私なら浮気夫は許せない。即離婚だわ。奥さんに誠心誠意謝りなさい」

「す、すまない」

夫人は両手で顔を覆って嗚咽を漏らし、芝生に膝をついた。騙されたというのに一家に心を砕いてくれたルネの懐の深さに感極まっているようだ。

「お母しゃん、痛いの？」

もがくようにオデットの腕から下りたエミーが、母親に抱きついて心配する。

「違うわ。お母さんは優しくされてとっても嬉しいの」

「そっか。エミーも嬉しい。お母しゃんとお父しゃん、だいしゅき！」

立ち尽くしたように妻子を見つめるブライアンの目に、涙の膜が張る。

「ルネ、いや、ルネさん。本当に申し訳ございませんでした……」

片手で目元を覆ったブライアンの謝罪は、心からのもののようだった。

オデットもつられて目頭を熱くしたら、ルネがクルリと背を向けた。

「さーて、帰るか。店番さぼってまた親に叱られる。一件落着で気持ちいいわー」

（ルネ？）

突き上げた右手を元気に振って庭から出ようとしているけれど、その背が悲しげで泣いているような気がした。

オデットが慌てて駆け寄ろうとしたら、ジェラールに腕を掴まれ止められた。

「まだ一件落着ではない」

なぜか小脇に抱えていた豪華な上着に袖を通し、変装用の黒縁眼鏡を外したジェラールが厳しい声を発する。

「出てこい」

すると、どこかに隠れて待機していたのか、ふたりの王城騎士が庭に現れた。

屈強そうな騎士たちはジェラールを守るように両脇に立つ。

ジェラールの隣にいるオデットも必然的に騎士を従えている格好になり、驚いて視線を左右に往復させる。

（まさか、捕らえるの⁉）

ブライアンは片足を引いて騎士たちを恐れ、夫人は座り込んだまま悲痛な顔でエミーを抱きしめる。

庭から出ようとしていたルネも目を見開いて足を止めた。

今のジェラールは気さくな街の男ではなく、厳しい支配者の顔をしていた。

「ブライアン・ホッジ。王城騎士になりすまし、女性複数人に結婚詐欺を働くとは許しがたい所業だ」

「王太子殿下、あのっ！」

ブライアンが捕縛されれば妻子が困ると焦るあまりに、オデットはジェラールの呼び方を間違えた。

それを聞いたブライアンは目を見開き、慌てて膝をついて頭を下げた。

「王太子殿下とは存じ上げず、ご無礼を働いてしまいました。どうかお許しください」

「たしかにお前には、酒場の路地裏で侮辱されたな」

王城騎士の自分に楯突けば牢に入れると、ブライアンが言っていた覚えがある。それに対しジェラールが『こっちの台詞だ』と返し、それが現実になろうとしていた。

「殿下、お待ちください。ルネは許すと言ってくれましたし、ブライアンさんが捕まったら奥さんとエミーちゃんが……」

おろおろしながら止めようとすればオデットの頭に大きな手がのり、琥珀色の瞳が優しげに細められた。

俺を信じて……そう言われている気がして、オデットは口を閉ざす。

　ブライアンに厳しい視線を戻したジェラールは、震える彼に言い放つ。

「被害女性が許しても、俺は王太子としてお前の罪を見逃すつもりはない。よって、ブライアン・ホッジには王城にて騎士見習いに従事することを命じる」

「えっ？」

　驚いたのはオデットだけでなく、ホッジ夫妻もである。

「俺がお前を殴った時、尻もちをついただけだったことに感心していたんだ」

　酒場の路地裏でオデットの窮地を救うためにジェラールは拳を振るったが、焦りと怒りで手加減できなかったという。ジェラールは幼い頃から騎士を相手にひと通りの戦闘訓練を積んでおり、並みの男性より遥かに強い。ブライアンが軽症で済んだのは素早い攻撃回避ができたためで、そこに騎士の素質を見出したそうだ。

「もちろん給金は規定通りに出す。夫人は城医に診察させよう。城内には使用人の子供のための保育所がある。そこに娘を預け、お前は本物の騎士を目指して訓練に励め」

　さらにジェラールは、ルネを含めた被害女性たちへの返金の肩代わりをしてやると提案した。

「お前は給金から無理のない程度に少しずつ俺に返済しろ。期限は設けないが、時間がかかっても必ず返せ。自分のしでかしたことへのせめてもの償いだからな」

(それなら被害女性たちは金銭的な面ですぐに救われるわ。ブライアンさん一家の生活も守られるし、いろんな人のことを考えた優しいご命令ね)

オデットはホッとして続きの話を聞く。

「お前はこの騎士たちについてこれから王城へ行き、入団の手続きをしろ。言っておくが、見習いといえども訓練は厳しいぞ。性根を叩き直すには最適の場所だな」

ジェラールは表情の険しさを解いて、ブライアンにフッと笑いかけた。

「王太子殿下……感謝いたします……」

顔を上げたブライアンの頬に涙が流れる。ジェラールの慈悲が彼の心に深くしみわたったのは明らかで、今後はきっと堅実に生きてくれるのではないかと思われた。

満足げに頷いたジェラールの横顔に、オデットは頬を染めた。

(殿下は優しく頼もしい方ね)

王太子である彼に失礼な態度は取れないと我慢しているが、両腕を広げて抱きつきたい気分だ。

心の奥に灯った小さな恋の炎。

オデットがそれに気づく前に、後ろから腕を強く引っ張られた。

「キャッ、ルネ？」

「ちょっと来て」

　庭の隅まで連れていかれると、ルネがひそめきれない声で内緒話を始める。

「ジェイさんは王太子殿下なの？　詐欺じゃなくて本当に？」

「うん。実はね──」

　いつもの庶民風の服装や黒縁眼鏡は変装なのだと話そうとしたが、興奮したルネに両手を握られてブンブンと振られた。

「なんで教えてくれないのよ！　このままいけばオデットは王太子妃で将来は王妃？　玉の輿どころの騒ぎじゃないわ。めちゃくちゃすごいじゃない！」

「あのね、貴族の婚姻は家柄が重要だから私は無理なの……って聞いてないわね」

　先ほどまでルネは確かに失恋に傷ついているように見えた。目が少々赤いので泣いていたという推測も外れではないだろう。けれども今はそれを忘れるくらいに、親友のシンデレラストーリーに盛り上がっている。

（勘違いしているけど……ルネが笑顔になったから、よかったわ）

　やはりルネには笑顔が似合う。

　嬉しくなったオデットは、ルネに両腕を回して抱きついた。

「ルネ、私の親友になってくれてありがとう。大好きよ。ずっと一緒にいてね」

ポンと肩を叩かれ振り向くと、ジェラールが悔しげに笑っている。

「俺じゃなくて？」

「あっ」

（殿下はお忙しい中で力を貸してくださったというのに、私ったら……）

誰よりもまずはジェラールにお礼を言うべきだったと反省し、慌てて頭を下げる。

「殿下がいらっしゃらなかったら、私はルネを助けられずに困り果てていたと思います。本当にありがとうございました」

「うん、それから？」

聞きたいのはそれじゃないと言いたげに続きを促され、オデットは頬を染めた。

恥ずかしいので目を逸らし、小声で気持ちを打ち明ける。

「殿下のことも、ルネと同じくらい大切に思っていますので」

「それは嬉しい。けど……」

苦笑されたということは、満足のいく返答ではなかったようだ。

仕方ないと言いたげな彼に頭を撫でられつつ、足りなかった言葉はなんだろうと首を傾げたオデットだった。

双子王子とアクアマリンの指輪

王城の木々は紅葉し、陽光を浴びたイチョウの葉も黄金色に輝いている。

もう少し秋が深まれば、大邸宅の周囲は黄色と赤の絨毯が敷かれたように鮮やかに染まるだろう。

（美しい景色をオデットに見せてあげたい。呼んでも来てくれないが……）

カルダタンに行けば嬉しそうにしてくれるのに、『私なんかが』と遠慮して王城への誘いはことごとく断られている。

ジェラールは長い廊下から秋の景色を眺めつつ足早に進む。

今日は朝から経済諮問会議に大橋建設の予算会議、船乗り組合の陳情を受けてから隣国の要人と昼食をともにし、そしてこれから外交問題に関する有識者会議だ。

時刻は十四時を回り、そろそろ焦り始める。

（早く今日の政務を終わらせないと、オデットと一緒にティータイムを過ごせない）

広い屋敷内を東棟から西棟に移動し、五分かかって目的の会議室前に着いた。

ドアノブに手をかけたら「王太子殿下」と後ろから呼びかけられる。

急いでいるのに誰だという思いで振り向くと、インペラ宰相が立っていた。

インペラ宰相は紅茶色の髪の半分が白髪の六十二歳。

四角い顔に大きな鼻と厚い唇が特徴的で、中背ながら横幅があるため存在感がある。ジェラールの父である国王が即位する前から側近を務め、今も右腕として政務に多大な影響を与えている。家督は継いでいないものの、インペラ公爵の弟なので財力、発言力ともにかなりのものだ。

ジェラールは顔をしかめたくなるのをこらえた。老婆心ならぬ老爺心だと言って、ことあるごとに口出ししてくる宰相を煩わしく思っていた。

「インペラ宰相ごきげんよう。すみませんが、これから会議がありますので急いでいます」

「では急いで話しましょう。ほんの一分、お耳を拝借」

ジェラールの迷惑を気にせず、インペラ宰相が話しだす。

「少し前にグスマン伯爵家をお訪ねになったと聞きましたぞ」

それは三か月ほど前に、ルビーのついた銀のスプーンの件で訪問したことを言っているのだろう。

「それがなにか？」

「なにかではございません。グスマン伯爵の夫人の実家はレオポルド派の貴族。まさか忘れていたとは言いますまい」

諫(いさ)めるような言い方に、ジェラールはムッとした。

(いつまで俺をガキ扱いするつもりだ)

「グスマン伯爵は中立派。問題ないと判断したから会いに行きました。大事な用があったためです」

「用とはなんですかな?」

「宰相には関係ありません」

すでに一分は過ぎている。

ジェラールが背を向けたら、あからさまにため息をつかれた。

「ヨデル伯爵の件といい、最近の殿下は随分と甘くなられたものですな。そのようなことでは足元をすくわれますぞ。私は心配でなりません」

ヨデル伯爵は呪いのエメラルドのブローチをジェラールに贈った貴族だ。はっきりした証拠は得られなかったが、レオポルド派に通じていたというのはまず間違いない。

しかし裁判で下されたのは禁固二十年の有期刑。伯爵家も取り潰さず、息子が家督を継ぐことを許し、前代未聞の甘い判決だと新聞にも書かれた。

それはオデットの影響である。

『敵意を向けてくる相手に優しくしてあげたら、きっと嫌うのをやめて仲良くなれると思うんです』

オデットへの心証をよくしたいという下心も多少はあったが、もちろんそれだけが理由ではない。そういう方法もあると納得したからこそ国王に相談の上、本来なら死罪でもおかしくないところを減刑するよう働きかけたのだ。

現にヨデル伯爵の親類縁者はジェラールの恩情に感謝し、レオポルド派との関係を切ったという噂を聞いた。

「余計な心配に感謝します」

「殿下！」

文句を言いたそうな宰相を無視したジェラールは、会議室のドアを開けて入室する。

楕円形のテーブルにはすでに十二人のメンバーが揃っていて、眉間に深い皺を刻んだジェラールに怯え、目を逸らしたり首をすくめたりした者がいた。

（しまった。萎縮させては会議の意味がない）

この国は王権国家ではあるが、議会や裁判制度が整っていて法治国家でもある。

独裁は国を亡ぼすとジェラールは父に教えられて育った。噛み砕けば広く皆の意見を聞けという意味で、会議では権力者に忖度のない意見を求めたい。

インペラ宰相への憤懣をグッと押し込めたジェラールは、笑みを作ると挨拶のために立ち上がろうとしている十二人にそのままでいいと手で示した。

「遅れてすまない。さあ始めよう」

オデットに会いたくて気が急いても、政務に手抜きはしない……これが自分自身への約束だ。


会議を終えたのは一時間後で、私室に戻ったジェラールは大急ぎで着替える。

(ティータイムが終わる前には着きそうだ)

この前ルネには身分がバレてしまい、お喋りな彼女からブルノにもすぐに話が伝わったが、相変わらずジェイとしてカルダタンに通っている。

お忍びでなければ護衛を伴わねばならないから煩わしく、オデットに身分の隔たりを感じてほしくもない。

素朴な綿のシャツに安物の上着を羽織り、黒縁眼鏡をかけたらドアがノックされた。

ジェラールが返事をすると、入室して一礼したのは近侍のカディオだ。

三十二歳のカディオとは十年ほどの長き付き合いで、まだ少年と呼べる年頃から側近として仕えてくれている彼には兄のようにたしなめられる時もあった。

カディオの性格をひと言で表すなら堅物だろう。

曲がったことが大嫌いで、ジェラールの執務室に納められている数百冊の本はアルファベット順に並んでいないと気がすまないタチである。

融通が利かないところが難点だが、ジェラールが王太子として一人前に公務をこなせるようになってからは、〝大目に見る〟という言葉を覚えてくれたようだ。

肩下で切り揃えた髪を一本の乱れもなくひとつに結わえ、えんじ色の上着をきっちり着こなしているカディオが、庶民服姿のジェラールに眉を寄せた。

「またカルダタンにお出かけですか。ただのお戯れかと思い目を瞑っていましたが、いささかのめり込みすぎでは。まさか平民の娘を妃に娶るおつもりではございませんよね？」

ジェラールは来月に二十四歳の誕生日を迎える。周囲は勝手に花嫁選びの話で盛り上がり、娘を連れて謁見に来る貴族がいたり、妃候補を自称する令嬢がいたりする。

(結婚相手は自分で選ぶ。おっとりと癒される雰囲気で、しかし興味があるものには目を輝かせて熱中し、優しく少し鈍感で笑顔が可愛い女性がいい。そのような女性はオデット以外にいないだろう)

出会った時のオデットを、ジェラールは昨日のことのように覚えている。

可愛らしいがどこにでもいそうな町娘に見えたのに、宝石にしみ込んでいる想いを読めるとは驚きであった。宝石を見つめる時の輝く瞳は純粋で、鑑定に入ると雰囲気が急に凛としたものに変わるのは魅力的だ。

非常に特異な鑑定能力は金儲けの手段にもできそうなのにオデットには欲がなく、エメラルドのブローチを鑑定した対価も求めない。ただジェラールの体調回復を喜んでくれて、その心の美しさもオデットに惹かれた理由だろう。

カルダタンに通うようになってからは、オデットへの想いは募るばかりだ。

柔らかい話し方や笑顔に癒され、ジェラールが口説いても気づかない鈍感さには、いつか振り向かせてみせると恋の炎が燃え上がる。

カディオの厳しい眼差しに、ジェラールは困ったように微笑して問い返す。

「その通りだけど、駄目？」

「前例がございません。国王陛下がお許しにならないでしょう。貴族たちからの反発も予想され、王家の威信にも関わります」

父を説得する言葉は考え中だが、この国の貴族全員にオデットを妃として認めるよう説得して回るのは現実的ではない。カディオの言う通り、それも問題点だ。

「俺がなんとかするから心配しなくていい。オデットに会いに行ってくる。一時間で戻るから」

急いでいるためごまかすように会話を切り上げたジェラールは、足早に私室を出る。

ドアを閉める前にカディオのため息が聞こえたが、もうすぐオデットに会えると思うと心が弾み、振り返ろうとは思わなかった。

＊＊＊

商品の柱時計が十五時半を指している。窓際のテーブルに向かって座るオデットは、柱時計と窓の外をチラチラと気にしていた。

客のいない店内に聞こえるのは、ルネのお喋りとブルノが新聞をめくる音。

テーブルの上には湯気の立つカップが三人分と、まだ紅茶を注いでいないカップがふたつあった。

ひとつは学校帰りに寄るであろうロイの分で、もうひとつはジェラールの分だ。

(お忙しい方だから、会いに来られない日もあって当然よね)

最近は毎日ジェラールの顔を見ている。

大抵このくらいの時間までにやってきて一緒にお茶を飲み、忙しく戻っていくのだ。

今日は来ないのだろうかと思ったら、途端に寂しさが胸に広がった。

気持ちを切り替えようと、ルネの話に真剣に耳を傾ける。

「でね、そのお客さんが唐辛子をたっぷり練り込んだパンを作ってほしいって言うのよ」

「そんなに辛いものが好きなの？」

「ううん。喧嘩中の夫の朝食に出すんですって。だから私、唐辛子の代わりにドライチェリーを入れたのよ。うちのパンがきっかけで離婚沙汰は嫌じゃない」

ルネは明るく笑っていて、結婚詐欺師のブライアンと別れてからも元気だ。

『なんで私があんな男のために暗くならなきゃいけないのよ』

心配するオデットを豪快に笑い飛ばした彼女だが、当分恋愛はしないとも言うので傷は浅くないだろう。

友達のためにできるのは、いつも通り楽しい時間を共有することくらいなので、オデットは笑みを強めた。

「ドライチェリーのパン、美味しそう。そのお客さんの旦那さんは喜んだんじゃないかしら？」

「当たり。おかげで仲直りできたって報告に来てくれたわ」

「よかった！」

両手をパチンと合わせて喜んだ後は、視線が自然と窓の外に向いてしまう。

それに気づいたルネが、目を弓なりにした。

「王太子殿下、早くいらっしゃらないかしら……って思ってるんでしょ？」

「ル、ルネ。ここではジェイさんと呼ぶ約束よ」

心を見透かされて頬を染めたら、ブルノが新聞を見やすいよう折りたたんでふたりに向けた。

「ジェイさんは気さくに接してくれるが、王太子殿下には深入りしない方がいい」

ジェラールの正体をルネに聞かされた時、ブルノも大層驚いていたが、すぐに納得していた。どこかで見た気がするとずっと思っていたそうで、それは祝賀行事で王太子の彼が市民に向けて挨拶した時だったらしい。

ブルノが指さす新聞記事の見出しには、『妃候補者、六人に』と書かれていた。

深入りとは、オデットが妃候補に名乗りをあげるという意味だろう。

オデットは慌てて両手を胸の前で振る。

「私はジェイさんとお付き合いもしていません。深入りなんて、そんな……」

妃になれるとは少しも思っていないし、望んだこともない。

これが恋なのだという自覚すらまだ芽生えておらず、ただ会いたいという気持ちに気づいたばかりのオデットなので、ブルノの心配が的外れに思えた。

謙虚なオデットにルネが不満げになにかを言おうとしたら、ドアベルが鳴った。

パッと顔を輝かせて立ち上がったオデットだが、入店するなり勢いよく抱きついてきたのはロイだった。

「オデットただいま！　すごく嬉しそうだね。そんなに僕が待ち遠しかった？」

「ロイ……。お帰りなさい、待っていたわよ。お腹空いてるでしょ。ルネが焼いてくれたビスケットを食べて。紅茶も淹れるからちょっと離れてね。火傷したら困るわ」

「あれ？」

オデットが急に元気をなくしたので、ロイは顔を覗き込む。

「疲れてる？　それとも風邪？」

心配するロイを、頬杖ついたルネがビスケットに手を伸ばしつつ笑う。

「恋煩いよ」

「僕に？」

「ロイの馬鹿みたいに前向きな性格は嫌いじゃないわ。でもいい加減諦めなよ。オデットが恋しているのはジェイさんだから」

ジェラールの正体をロイはまだ知らない。ルネがブルノに話してしまった時にオデットが慌てて口止めしたので、ブルノ以外には秘密が漏れていないはずである。

ムッとした顔のロイがテーブルをバンと叩いた。

「それ、ルネが勝手に思ってるだけだろ。オデットは見た目に騙されたりしないぞ。ルネじゃあるまいし」

「なんですって？　私はね、あんたが泣いたら可哀想だから親切に教えてあげたのよ。ねんねのお子様ロイがジェイさんに勝とうとしても無理だから」

「お子様って言うな！」

ふたりの言い争いがヒートアップしていくけれど、オデットは止めるのを忘れてぼんやりと立ち尽くしている。

（ルネに違うって言えなかったわ。もしかして私、殿下に恋をしているの？）

素敵な宝石には胸を高鳴らせても、異性に夢中になった経験が前世を含めてオデットには一度もない。どこか抜けている性格も相まって、思考が斜めにずれる。

（家族に会いたい気持ちを〝恋しい〟と言ったりするわよね。それも恋で、殿下の顔を毎日見たいと思うのも恋？　そもそも恋ってなにかしら？）

オデットが首を傾げて悩む中、またドアベルが鳴って今度こそジェラールが現れた。

「こんにちは。まだティータイムは続いているようだね。間に合ってよかった」

走ってきたのか息を少々弾ませたジェラールが、土産だと言って高級フルーツを詰め合わせたバスケットを差し出す。

けれどもまだ考えに沈んでいるオデットは、ジェラールが来たことにも気づかない。

「オデット?」

顔の前で手を振られて、やっと我に返る。

「あっ、ジェイさん、いつの間にいらしてたんですか?」

「来たばかりだよ。今日はいつもにもましてぼんやりだな。どうしたの?」

覗き込むように顔を近づけられて、オデットの頬が赤く染まる。

するとロイが慌ててふたりの間に割り込んだ。

「このお邪魔虫め。僕のオデットに近づくな!」

「ロイ、それは間違いだ。オデットは誰のものでもない。強いて言えば彼女自身のもの。君には、オデットの意思を尊重する姿勢が欠けている」

「難しいこと言って、かっこつけるな!」

ルネは囃し立て、ブルノはうるさそうに眉をひそめて新聞で顔を隠してしまった。

オデットがおろおろしていたら突然、ドア口から声をかけられる。

「お取り込み中、すみません」

ドアベルを聞き逃してしまったため肩をビクつかせて振り向くと、襟のない綿のシャツに白っぽいベストを着た二十歳くらいの青年がいた。

オデットは慌てて対応する。

「こちらこそすみません。あ、あなたはリバルベスタ教会の……」

王都で最も古く由緒正しいリバルベスタ教会のバロ司教には、カルダタンに呪いの宝石が持ち込まれた際にお祓いをお願いしている。青年は教会で雑務をこなしながら司教を目指す聖職者で、教会を訪ねた時に見かけたことがあった。

青年は頷いて、バロ司教の使いで来たと話した。

新聞を置いたブルノがやってきて、オデットの隣に立つ。

「これのお誘いかな？」

ブルノが嬉しそうな顔をして、グラスをクイとあおる仕草をしてみせる。

ブルノとバロ司教は飲み友達なのだ。

青年は苦笑して首を横に振った。

「オデットさんに鑑定をお願いしたいそうです。大きく重たい石なので、教会まで来てほしいとのことです。急がないがなるべく早く、とも仰っていました」

言付けを伝えると、青年は一礼してすぐに店を出ていった。

「大きくて重たい石……宝石の原石かしら？」

オデットの鑑定欲がウズウズと湧き上がり、目を輝かせてブルノに問う。

「いつお伺いしたらいいですか？」

急がないがなるべく早くとは、これいかに。

「気遣いがあるのかないのか、バロ司教はまぁ、そういう人だから」

友人をそう評価して笑ったブルノは、今から行っておいでとオデットの肩を叩いた。

「急ぎの修理品もないし、店番は私がするよ。終わったら仕事を上がっていいから。ついでに買い物でもしてくるといい」

するとすかさずジェラールが口を挟む。

「俺も一緒に行こう。エメラルドのブローチの件では世話になった。臣下に言伝は託したが、直接お礼を言いたいと思っていたんだ。ちょうどいい機会だ」

ふたりが出会うきっかけとなったエメラルドのブローチは、オデットの助言に従い、臣下がリバルベスタ教会に持っていってお祓いしてもらったそうだ。

「臣下？」

キョトンとして問い返したロイに、ジェラールは土産のバスケットを押しつける。

「これはロイが食べるといい」

「いいの？　メロンに梨にリンゴにブドウ。うわーたくさんあるな。全部大好きだ！」

「成長期の子供はたくさん食べないとな。大人の俺とオデットはデートしてくるよ」

「こんな果物いらないよ。僕も行く！」

ブルノに後ろ襟を掴んで止められたロイはジタバタしており、その隙にオデットはエプロンを外してジェラールと店を出た。

（ロイは子供扱いされると怒るのよ。あまりからかうと可哀想だわ）

並んで北へ歩き、建物の間を通り抜けた冷たい秋風にオデットは首をすくめた。

日差しが暖かくても、そろそろコートが必要である。

シンプルなブラウスとスカート、その上にカーディガンを羽織っているオデットに、

「寒い？」とジェラールが聞いた。

「大丈夫です」

コートを取りに戻るほどではないとオデットは足を前に進めるが、ジェラールは自分が着ている紺色のジャケットのボタンに手をかけた。オデットに貸すつもりなのだろう。

「あの、お気持ちは嬉しいんですけど困ります」

「どうして？」

「ジェイさんが風邪で寝込んだら大変ですし、会えなくなったら寂しいので私も困ります」

正直な気持ちをサラリと口にしたら、ジェラールが足を止めた。

その頬は赤く色づいて、照れたように口元を片手で覆っている。

（もしかして私、恥ずかしいことを言ってしまったの……？）

ジェラールの顔を見てそれに気づいたオデットは彼以上に赤面し、熱い頬を両手で挟んでそっぽを向いた。

「ご、ごめんなさい」

「謝る必要はない。かなり嬉しいから」

ジェラールがオデットの腰に片腕を回して引き寄せる。

見上げれば、至近距離にある琥珀色の瞳が弧を描いており、オデットの動悸が加速した。

「寄り添って歩けば寒くない。さあ、行こう」

（暖かくなりすぎて、のぼせそうだわ……）

胸を高鳴らせながら広い通りまで歩き、辻馬車を拾う。

十五分ほど揺られて中央区にあるリバルベスタ教会に着いた。

白レンガの外壁に鶯色の屋根。二本の尖塔を備えており、正面の高い位置に大きなバラ窓がシンボルのようについている。

教会の鐘楼が十六時の鐘を打った。

十段の階段を上がった先には礼拝堂に繋がる両開きの重厚な扉があるが、オデットたちは端にある装飾性のない簡素な木目のドアを叩いた。

対応に出てきたのは、この教会を取り仕切るバロ司教、本人。

いつものように足首まである白い祭服を纏い、薄い頭髪の上に赤紫色の小さく丸いカロッタをかぶっている。眉毛の白髪が伸びて老爺の風情だが、肌艶はよく、背筋はしゃんと伸びた七十歳だ。

「よう来た」

オデットを微笑んで迎えた司教は、隣に立つジェラールに青い目を向け、「おや？」と眉を上げた。

「これはこれは王太子殿下ではございませんか。その格好はお忍びですかな？　オデットとはどういったお知り合いで？」

「バロ司教、久しぶりです。エメラルドのブローチの件では世話になりました。あれはオデットに鑑定してもらって呪いつきだとわかったのです」

「そうでしたか」

「司教からオデットへの頼み事に興味を持ったので、ついてきました。一緒にいてもいいですか？」

「もちろん構いません。さあ、どうぞ中へ」

来館者は記名する決まりということで、出された帳簿にサインをしたふたりは長い廊下を進む。

天井が高くひっそりとしていて、靴音が響いた。

ここはいわば教会のバックヤードで、教会関係者の執務室や私室、倉庫などに繋がっている。

司教が足を止めたのは倉庫の前で、ドアを開けて中に入ると、大小さまざまな木箱や紙箱、布で包まれた置物、書棚や祭事用具が整理されて納められていた。

オデットがここに通されたのは初めてで、好奇心が膨らんで胸が高鳴りだす。

（使われていない部屋の埃(ほこり)の匂いが好きなのって変かしら？　貴重な宝石が眠っていそうでワクワクするのよ。早く鑑定したいわ！）

室内の窓は雨戸が閉められていて暗く、司教が開けに行って外光を取り入れた。それから窓辺の近くに置かれている木箱の蓋を開けた。

「これなんじゃよ」

中にある古ぼけた白いシルクの布を開くと水晶玉が現れた。

オデットの頭ほどもある大きな水晶玉が、窓からの陽光を浴びて美しく輝いている。

「大きなロッククリスタル！　本物かしら。ちょっと調べさせてください」

白い手袋をはめたオデットはジェラールにお願いして箱から水晶玉を出してもらい、近くにあった台の上に布を敷いてのせた。

水晶はガラスと同じ物質でできているので、ガラスの偽物が多い。

簡単な見分け方として、屈折率を利用した方法がある。

オデットは自分の髪を一本抜いて、水晶玉に透かした。

「天然水晶で間違いないです」

「どういう判別方法？」

ジェラールが興味深そうにオデットに聞いた。

「水晶は結晶化した二酸化ケイ素が層になってできています。そのため髪の毛を透かすと二本に見えるんです。ガラス玉は結晶構造ではないので一本に見えます」

「へぇ、どれどれ。本当だ」

腰を落としたジェラールが顔がくっつきそうな距離で水晶玉を覗き込むから、オデットの心臓が大きく波打った。

（触れそうで触れない頬が熱い。恥ずかしいけど逃げたら失礼よね。それに嫌がっていると勘違いされたら困るもの……）

近すぎる距離はすぐにもとに戻されたが、オデットの赤い顔を見てジェラールがクスリとする。

（恥ずかしい……ううん、照れている場合じゃないわ。鑑定中なんだから、集中しないと）

胸に手をあてて呼吸を整えたオデットは、ルーペを取り出し水晶の質を確認する。

「透明度が高くてとてもいい水晶です。なによりこの大きさは貴重です。今、重さを量って値段を計算しますね。鑑別書をお作りしますか？」

するとバロ司教が笑って首を横に振る。

「査定してもらいたいわけじゃない。倉庫整理をしておったら、壁に隠し扉を見つけての。この水晶はそこに納められていた。謂れを書き記したものはなく、わしより長くこの教会に奉仕している者に聞いてもわからん。だからオデットを呼んだんじゃ」

「あ、そういうことでしたか」

オデットはルーペをしまうと、水晶玉に手を触れて目を閉じた。

心の中に流れ込んでくる誰かの想いは、清らかで温かく穏やかだ。

(こんなに綺麗な感情に触れたのは初めて)

目を開けたオデットは、感嘆の息をついた。

「水晶玉の持ち主は若い女性です。かなり昔の方で、もしかすると三百年以上前の時代かもしれません。大勢の人への奉仕精神を感じたのですが、聖職者でしょうか。水晶玉に向けて民の幸せを祈り続けていたようです」

「やはり、そうじゃったか」

バロ司教は唸るように頷いており、心当たりがある様子。

「これは聖女様の水晶玉。盗まれないよう、彼女が亡き後に誰かが隠したのじゃろう」

「聖女様って、童話に出てくるあの聖女様ですか?」

オデットは目を瞬かせた。

『昔々、グラデシア王国に悪い魔女が現れました』

そのような書き出しの童話は、全国民が知っていると言っても過言ではない。

魔女は人々に呪いをかけて病気にし、多くの人が犠牲となった。

国王は国中の聖職者に命じ、救いを求めて神に祈らせる。

すると天が輝いて、一筋の光が地上に降り注いだ。

その光が消えると、見たことのない変わった服装の黒髪の乙女が立っていた。

異世界から召喚されて来たという彼女の名は、サヨ。

サヨは不思議な力を持っていて、水晶玉を使い人々にかけられた呪いを解いて歩き、ついには魔女を倒してグラデシア王国を平和へと導いた。

感謝した国王はサヨに聖女の称号を与え、王太子と結婚させる。そしてサヨは末永く幸せに暮らしたという、武勇伝にシンデレラストーリーが加わったような童話だ。

「聖女サヨは実在したんですか?」

驚いたのはオデットだけでなく、ジェラールもだ。

大事そうに水晶玉に手を触れたバロ司教がふたりに教えてくれる。

「魔女というのは疫病のこと。異世界から召喚されたサヨ様が、癒しの力で疫病の蔓延を食い止めた。三百年ほど前の話で史実でございます」

「三百年前の疫病なら知っています。ただ聖女が関与していたのは初耳です」

ジェラールの返事にバロ司教が寂しそうな顔をする。

「我々聖職者の間では、今でも聖女サヨ様への畏敬の念が受け継がれております。ただそれ以外ではすっかり風化してしまった。我々の力不足を痛感します。聖女への感謝を忘れないようにと童話を作った先祖も、天国で嘆いておられるかもしれませんな」

聖女の話は興味深くもっと聞きたい気もしたが、オデットはそれより気になることがあった。

「どっこいしょ」

重たい水晶玉をバロ司教が抱えて床の木箱に戻したら、祭服の襟元からロザリオがすべり出た。

金の鎖にダイヤモンドが十五粒はめられた十字架がぶら下がる、豪華な品だ。

「そのロザリオは……」

オデットの目が釘付けになっていると、腰を伸ばしたバロ司教が十字架を摘まみ、ニタリと聖職者らしからぬ笑みを浮かべた。

「これか。先日、信者がお布施(ふせ)代わりにと置いていったんじゃ。どうだ、わしに似合いの立派なロザリオじゃろう」

バロ司教には聖紙を譲ってもらったり、呪いつきの宝石をお祓いしてもらったりとなにかと世話になっているが、決して奉仕精神に満ちあふれた人ではない。

信徒の懺悔(ざんげ)に料金を設けたり、礼拝では入る前にお布施を全員から徴収したりと、拝金主義的な傾向がある。

　オデットに対し聖紙やお祓いの代金を請求しないのは、ブルノと飲み友達であるからだ。おそらく飲み屋の勘定はブルノが支払っているのだろう。

　得意げに胸を張る司教にジェラールは呆れの視線を向け、オデットは眉を寄せた。

「すごく言いにくいんですけど、そのロザリオに呪術の気配を感じます」

「な、なんじゃと⁉」

　バロ司教は教会に伝わる術式でお祓いができても、呪いつきかどうかを感じることはできない。

　焦った司教はロザリオを首から外そうとして襟のボタンに引っかけ、呪いのせいで取れなくなったとさらに慌てている。

「落ち着いてください」

　外すのを手伝ってあげたジェラールが、十字架を手にのせて眉をひそめる。

「恨まれる覚えは？」

「人々の幸せのために祈るのがわしの職務ですぞ。そのような覚えはありま――」

（あるのかしら？）

　青ざめているバロ司教だが、オデットは十字架のダイヤモンドに触れて確かめてから「大丈夫です」と微笑んだ。

「バロ司教を狙って呪いをかけたものではないようです。魔具を分解して、その石のひとつをここにはめ込んだ感じです」

魔具とは、古来から伝わる禁術を用いて呪いや祈りを込めたアイテムのことである。アイテムとするのは本でも人形でもなんでもいいのだが、想いをより吸収しやすい宝石が多く用いられている。ジェラールに原因不明の体調不良をもたらしたエメラルドのブローチも、呪いがかけられた時点で魔具となった。

ロザリオのダイヤはひと粒だけ呪術の気配がするので、きっと他の誰かを呪ってお役御免となった魔具を分解し、アクセサリーとして再利用したのだと思われた。

それでも体調に影響を及ぼす恐れはあるが、教会という聖域の中であるからか、それとも身につけて日が浅いためか、バロ司教は見るからに健康そうだ。

「ありがとう、オデット。これはお祓いしてから使うことにしよう」

鑑定を終えたオデットとジェラールは、バロ司教に見送られて教会を後にした。

流しの辻馬車を探しながら、夕暮れに染まる空の下を寄り添って歩く。

腰に腕を回されても動悸に耐えていられるのは、真面目な話をしているせいだろう。

「オデットの特殊能力の感度が上がってないか？　ロザリオに触れる前から呪いの気

配を感じ取るとは驚いた」

「そうかもしれません。最近、気になる宝石に出合う機会が増えたからでしょうか。前は触らないとわからなかったんですよ」

「へぇ、すごいな。たまにオデットになってみたいと思うんだ。石にしみ込んだ想いが流れ込むとは、どんな感覚なのか味わってみたい」

「ジェイさんが私になるんですか？」

王城騎士を従えて公務にあたる凛々しい自分を想像したオデットは、似合わないとおかしくなってクスクス笑う。

「あ、辻馬車が来ます」

空車を示す白い旗を立てた辻馬車が、前方からゆっくりとこちらに向かってきた。

オデットは立ち止まり、手を上げて停めようとする。

けれどもその手を握られて阻止され、辻馬車は通り過ぎてしまった。

「乗らないんですか？」

オデットが目を瞬かせたら、ジェラールが瞳に蠱惑的な色を灯した。

「そこにレストランがある。せっかくふたりきりで外出したんだから食事をしていこう。オデットとデートがしたい」

間もなく夜の帳が下りようとしている。石畳の広い道にはガス灯が等間隔に並んでいて、見つめ合うふたりの気分を盛り上げようとするかのように炎を揺らしていた。

デートという甘い響きにオデットは頬を染め、鼓動は振り切れんばかりに高まった。

(誘っていただけてすごく嬉しい。私はきっと殿下を好きになってしまったのね)

惚れたところで王太子とは結ばれないという切なさは感じない。

そこまで先のことに考えが及ばず、ジェラールに愛されているとも気づいていないのだ。

今はただ初恋を自覚して、無欲に心をときめかせている状況である。

(王太子殿下じゃなく、ジェイさんとならデートしても許されるわよね)

「行こう」

「はい」

紳士的に差し出された手に、胸を高鳴らせながら手をのせたその時――。

「見つけました」

後ろから声をかけられて振り向くと、近侍のカディオが険しい面持ちで立っていた。

「外出のご予定は一時間のはずですが、二時間以上経っております」

ジェラールがバツの悪そうな顔をする。

「食事をしたらすぐに帰るから見逃してくれ。机上の書類は今夜中に目を通す」

「私がお迎えに参りましたのは、政務を急かすためではございません。ご注意申し上げたはずです。これ以上、のめり込んではいけませんと」

渋い顔のジェラールが黙り込んだ。

一方、近侍の注意の意味を理解できないオデットは、ふたりに視線を往復させて戸惑っている。

（よくわからないけど、今すぐお城に戻らないといけない雰囲気ね。デートができなくて残念だわ……）

眉尻を下げてがっかりすると、カディオに厳しい視線を向けられた。

「いい機会ですので、あなたにも忠告しておきましょう。平民の分際で夢を見ないように」

「そんな言い方はよせ！」

ジェラールが焦ったように近侍を咎めたが、当のオデットはポカンとしている。

（どういう意味かしら。貴族も平民も、寝たら誰だって夢を見るものなのに）

とんちんかんな疑問はひとまず置いておいて、先に誤解を解こうと口を開いた。

「王太子殿下のお付きの、ええと……」

「カディオさん、お久しぶりです。あの、私の実家は落ちぶれて貧乏なので出稼ぎに出て仕送りしていますけど、一応貴族です」

「は？」

ジェラールとカディオが揃って素っ頓狂(すっとんきょう)な声をあげるので、オデットまで驚いた。

（そんなに意外かしら？）

眉間に皺を刻んだジェラールが、勢いよくオデットの肩を掴む。

「なぜ隠していた？」

「隠してはいません。誰にも身分を尋ねられたことがありませんし、お話しする機会がなかったので……」

怖いくらいに真剣な目をしたジェラールにオデットは怯んだが、直後に破顔した彼が興奮気味に両手を握りしめた。

「オデットが貴族ならなんの障害もない。カディオ、お前も反対しないな？」

「はい。オデット嬢ののんびりとされたご性格に少々不安を感じますが、腹黒いご令嬢よりはよろしいかと存じます。なにより殿下がこれほどまでご執心になられるご令嬢は他にいないでしょうから、私に異存はありません」

「よし。さっそく父上に紹介しよう。ところでどこの貴族？」

ジェラールの張り切りぶりを不思議に思いつつも、オデットは初めて彼に姓を告げる。

「父はログストン伯爵です」

するとジェラールの顔がたちまち曇り、カディオは一難去ってまた一難と言いたげにため息をついた。

「殿下、ログストン伯爵はレオポルド派です」

「わかっている。だが、それは先代までのこと。爵位を継いだ現伯爵は温厚だという話を聞いた覚えがある。田舎の領地でひっそりと暮らし、王家に反意を示したことはない。レオポルド派を抜けて中立派になったという位置づけでいいんじゃないか？」

「判断されるのは国王陛下ですので。お許しくださるかは、私にはわかりかねます」

かつてのログストン伯爵家は裕福で王都に街屋敷もあり、他貴族との交流も活発であった。けれども、今は亡きオデットの祖父がレオポルド派についたことで国務に関わる役職を外され、落ちぶれたのだという。

しかしそれはオデットの生まれる前の話で、両親から聞かされたこともなかったため、敵対勢力だと言われても首を傾げたくなる。

（おじい様がどんな方だったのかよく知らないけど、お父様に敵意はないわ）

オデットの父は領民に『もう少し威張ってはいかがですか』と言われるほど優しく穏やかで、野心のかけらもない伯爵だ。

生きがいは幼い息子の成長と、畑仕事だろう。無駄に広い庭で家族が食べる野菜を育てており、この前はジャガイモとカボチャの収穫の喜びを便箋十枚にしたためてオデットに手紙を寄越した。

少々頼りないが、いつもにこやかで貧しくても幸せそうな父をオデットは敬愛している。

田舎の家族を思い出して寂しくなったオデットだが、すぐに意識はジェラールたちの会話に戻される。ふたりはオデットをどのように国王に紹介するかの相談を始めていて、オデットは困惑した。

「あの、お話し中にすみません」

「なに？」

「貴族ですけど私はパーティーに参加することもありませんし、これからもカルダタンの従業員です。殿下とはお忍び中以外にお会いする機会はないと思うんです。それでも国王陛下にご挨拶しなければいけないのでしょうか？」

（殿下のお友達ですとご挨拶するのはおかしい気がするわ。国王陛下となにをお話しすればいいの？）

なぜかショックを受けているようなジェラールに、カディオが気の毒そうな目を向ける。

「非常に申し上げにくいのですが、その気になられているのは殿下だけではございませんか？」

「馬鹿言うな。まだはっきり伝えていないからだ」

カディオに待機を命じたジェラールは、オデットの手を引いて近くの外灯の下に移動した。

半歩の距離で向かい合う彼はやけに真剣な面持ちで、オデットは緊張する。

（なんのお話かしら）

辺りは薄暗くなり、オレンジ色の光に照らされる琥珀色の瞳は宝石のように麗しく、「オデット」と呼びかける声はいつもより艶めいて聞こえた。

（胸がドキドキする。この状況ってもしかして、殿下も私を……？）

さすがのオデットでも恋が成就する気配を感じたが、ジェラールの告白は期待を遥かに超えていた。

「素直で純粋、可愛らしくて時々ミステリアス。そんなオデットがたまらなく愛しい。どうか俺と結婚してほしい」

「け、結婚……⁉」

「そう。俺の妃はオデット以外に考えられない。必ず幸せにするよ」

盛大に驚いたオデットは返事ができずにジェラールの顔を見上げていた。

好意を寄せてくれるだけで十分すぎるほど幸せなのに、プロポーズまでされては呼吸するのも忘れてしまう。

(私が、殿下の妻に？　夢を見ているのかしら……)

息が苦しくなり倒れそうになったら、抱きしめるように支えられて視界に男らしい喉仏がアップで映る。

「オデット、大丈夫？」

「は、はい。あの、すごく驚いて……」

「そのようだね。かなり前からわかりやすく好意を伝えていたつもりだったんだが」

「えっ、そんなことありました？」

あまりの鈍感さに絶句させてしまったが、ジェラールはすぐに笑って「オデットらしい」と言ってくれた。

腕の力を緩めたジェラールが、弓なりに目を細めてオデットの顔を覗き込む。

「それで返事は？　『はい』以外、言ってはいけないよ」

いたずらめかしたウインクに促され、オデットは呼吸を整えてからはにかんで答える。

「はい。殿下が大好きです。こんな私でよければ、どうぞよろしくお願いします」

「ああ、オデット。君はなんて可愛い笑顔を見せるんだ……」

我慢できないというようにジェラールがオデットの唇を奪った。

後頭部と腰に回された逞しい腕。まつげが触れそうな距離に端整な顔があり、唇は柔らかで温かな感触を伝えてくる。

オデットのときめきが最高潮に達し、目に喜びの涙が浮かぶ。

その直後にふたりは、カディオによって手荒に引き離された。

「往来でなにをなさっておいでですか！」

「すまない、つい……」

苦笑したジェラールがオデットを引き寄せ、肩を抱く。

トマトのように真っ赤になったオデットは、いたたまれずにうつむいた。

（カディオさんに見られてしまった。通行人の皆さんにも？　は、恥ずかしい……）

カディオは忠臣であるからこそ、ジェラールが誤った行動をした時には注意すると決めているようだ。国王の許しを得るまではキスは禁止で、許可後も人前でイチャイチャしないようにと厳しく言われた。

「もちろん、ご結婚まで閨(ねや)をともになさるのも禁止です。オデット嬢も心得てください」

恋愛経験のない初心なオデットは、キスひとつで平常心を保てずにいる。

それなのに夜の情事に触れられて、これ以上は無理だと両手で顔を覆った。

オデットが王城に呼ばれたのは、プロポーズから三日が経った日の午後である。

迎えの馬車に揺られて城門をくぐり大邸宅前に着くと、ジェラールが玄関前で待っていた。

「オデット、よく来てくれた」

馬車を降りるなり頬にキスをもらって鼓動が高まる。

ジェラールは襟に刺繍の入った白い上着に、サファイアのブローチをさりげなく留めていた。

お忍び中のラフな服装とは違う彼に、オデットは緊張する。

「王太子殿下、ご、ごきげんよう」

きちんと挨拶しなければと力みすぎて声が裏返り、笑われてしまう。

「今はまだ気を楽にしていて。そのドレス、よく似合っているよ。とても素敵なレディだ」

これから結婚の許しを得るため、国王に謁見する。

淡いピンクのデイドレスも羽織っているショールもパンプスも、すべてジェラールが贈ってくれたものだ。これらの衣裳が王城の使用人によって届けられたのが一昨日のことで、カルダタンは……いや、ルネとロイのふたりは大騒ぎだった。

『王太子殿下とついに結婚？ やったわね。オデットなら身分の壁なんか……えっ、ログストン伯爵令嬢？ オデットって貴族だったの⁉』

プロポーズをされたことや、自分の身分について一気に説明したら、ルネは大興奮で絶叫して喜んでくれた。

ロイはジェラールが王太子だとその時に知ったのだが、恐れることなく対抗心をむき出しにしていた。

『僕からオデットを奪うなんて許せない。王太子だって構うものか。次に会ったらぶっ飛ばしてやる！』

ブルノはというと——。

『へぇ。それはめでたいな』

ひとりだけ動じていないように見えたけれど、常連客に『うちのオデットが妃になるんですよ。すごい話でしょう』と自慢していたので、内心では小躍りしていたらしい。

「ピンクのドレスにして正解だったな。可愛いオデットは何色でも着こなせると思うけどね。さあ行こう」

ジェラールの褒め言葉に頬を染めてお礼を言ったオデットは、少しだけ緊張を緩め、彼について廊下を進む。

謁見室は中央棟の二階にあり、革張りの両開きの扉を挟むように護衛の騎士がふたり立っていた。

「ご苦労様」

ジェラールに労われた彼らは返事の代わりに片足を踏み鳴らし、右腕を胸の前に構えて敬礼の姿勢を取った。

その靴音に驚いてオデットはビクッと肩を揺らす。

「大丈夫だよ。彼らは形式としてここに立っているだけだから。こういうのにも慣れてもらわないとね。ま、それは追々。まずは父上に許しをもらわないと」

ジェラールの顔つきが急に引きしまる。王族は親子といえども馴れ馴れしい関わり方はしないのだろう。柔らかさの消えた彼の表情からそれが窺えた。

入室したジェラールは深々と一礼し、オデットもそれに倣った。

謁見室は奥に向けて長く赤絨毯が敷かれている。最奥は一段高く、玉座に腰かけているのが国王、ガブリエル・オーギュスト・バシュラルフだ。

国王は四十九歳で、口髭を蓄えているせいか体格は普通でも、いかめしい顔つきに見える。父子は髪と瞳の色が同じだが目鼻立ちは異なり、ジェラールはきっと母親似なのだろう。

国王に観察するような鋭い視線を向けられてオデットは冷や汗をかく。

さすが最高権力者と言うべき威圧感が漂っていた。

(失礼のないようにしないと……)

ジェラールが口火を切る。

「父上、こちらが先にお伝えしておりましたオデット嬢です」

オデットの実家の名はまだ伏せているそうだ。

スカートをつまんで腰を落とし、慣れないながらも貴族的なお辞儀をしたオデットは、緊張の中で挨拶する。

「オデット・ログストンと申します。お目にかかれて大変嬉しく思います」

「ログストン伯爵家の娘か」

オデットの家名を聞いた国王は低くうなると、考え込んでいるかのように黙った。

レオポルド派の貴族であるのを気にしているのだろう。

それは予想していたので、ジェラールは焦らずに説得を試みる。

オデットの不思議な鑑定力により命拾いしたことや、誰からも好かれるオデットの人柄、ログストン伯爵家の現況は貧しく貴族社会から隔絶されたような暮らしぶりであることなどを説明した。

「こう言っては申し訳ないのですが、ログストン伯爵はなんの力もなく無害なのです。父上に敵意もありません。レオポルド派から中立派に位置づけを変えましょう」

こちらの認識さえ改めれば、オデットを娶るのに支障はないとジェラールは力説する。

しかし国王は渋い顔のままで考え込んでいる。

「これまで支えてくれた重鎮たちをないがしろにはできん」

「インペラ宰相ですか？」

「宰相もその内のひとりだ。兄上との後継争いで国が混乱に陥った時に力を貸してもらった恩がある」

「恐れながら。レオポルド伯父上が逝去されて三十年も経ちます。そろそろ恨みを捨て、これまで排除していた反対派を懐柔する転換期ではございませんか？　私とオデットの結婚がいい契機となるでしょう」

「えっ、伯父上？」

オデットは小さな驚きの声を漏らした。ジェラールと知り合ってからレオポルドという名を何度も耳にしたが、国王の兄だと知らなかったのだ。

オデットの反応に国王が嘆息する。

「オデット嬢は両親からなにも聞かされていないのか。ジェラールの言う通り、ログストン伯爵には王家に遺恨はないのかもしれんな。それは信じよう。だが――」

言葉を切った国王はもう一度ため息をつき、それからオデットがわかるように説明してくれる。

「レオポルドとわしは双子の兄弟だ――」

この国では古くから第一王子が王位を継承してきたが、それは不文律。

双子王子が生まれた時に先代国王はどちらを王太子にするのか決めなかったそうだ。

おそらく兄弟を競わせ、優秀な方を後継にと考えていたのだろう。

それが、その後の混乱を生んでしまう。

先代国王が心臓病で急死し、後継争いが勃発したのだ。

貴族たちはそれぞれの王子を後援して二分し、ついには紛争が起きてしまう。

どちらが玉座に就くのか早く決めなければ無駄な血が流れるとガブリエルは焦り、決着をつけようと会談を申し込んだ数日後、レオポルドが不慮の事故で亡くなった。

レオポルド派の貴族はガブリエルを支持していた貴族らによって政界を追われ、利権も失い、随分と悔しい思いをしたのだろう。

三十年前の後継争いは今でも尾を引いており、レオポルド派は政界復帰を果たせぬどころか悪しき勢力とみなされている。現政権を揺るがし政権奪還を狙っているのではと、親王派の貴族たちが危ぶんでいるという話であった。

（そうだったの。兄弟で争わねばならないなんて悲しいわ。きっと国王陛下もつらかったわよね。亡くなられてしまったら仲直りもできなくてお可哀想……）

オデットは深々と頭を下げた。

「なにも存じ上げず、軽々しく実家の話をお聞かせして申し訳ございませんでした。王太子殿下をお慕いしておりますが、私は――」

王太子の結婚は当人の感情だけで決められない。

妃として不適格だと自覚したオデットは、身を引こうとしていた。

（私が嫁いだせいで、また貴族たちが争ったら困るもの。でも、殿下とお別れできる？　こんなにも好きになってしまった気持ちはどこにしまえばいいの？）

「私は……私は……」

結婚を諦めると言おうとしているのに、言葉にならない。

鼻の奥にツンと涙の感覚を覚え、胸が痛くてドレスの胸元を握りしめた。

するとジェラールに肩を抱かれる。

険しい顔の彼がいら立ちを国王にぶつけた。

「父上、レオポルド伯父上はすでに亡き人。いい加減に恨みをお捨てください！」

息子の不遜な反発に眉を寄せた国王だが、怒っているわけではないようだ。

「恨んでいるのはわしではなく兄上だ。死後の世界でわしが玉座を追われるのを願っているだろうな」

国王は服の内側にしまっていた金のチェーンを襟元から引っ張り出した。それには金の指輪がつり下げられていて、緑がかった薄い水色の透明な石はアクアマリンのようだ。似た色味のエメラルドやサファイアに比べ、アクアマリンは低価格で取り引きされる。国王が身につけるに相応しいとは言えないだろう。

オデットは首を傾げる。

（チェーンに通して身につけるのはサイズが合わないからよね。リングも細いし女性用みたい。もしかしてお母様の形見かしら？）

「父上はいつもそれを身につけておられますが、一体……」

今まで聞きたくても聞けなかったのだろうか、ジェラールが遠慮がちに尋ねる。

それを無視した国王は金のチェーンを首から外し、オデットに向けた。

「そなたの不思議な鑑定力に興味がある。これがどんな指輪か当ててみよ」

試すような言い方をされてもオデットは気を悪くすることなく、一歩近づいて指先で石に触れた。

（期待と不安と幸せな気持ちが伝わってくるけど、この想いは強くないわ。もうひとつの想いの方が強くて……うっ、胸が苦しい。息も苦しい。まるで溺れているような……）

流れ込んだ苦しさに、オデットは呼吸を乱した。

「オデット！」

ふらついたオデットをジェラールが支えて心配する。

「大丈夫です。すみません」

呼吸を整えたオデットはおっとりとした雰囲気を消し、凛とした眼差しを国王に向けた。

「石はアクアマリンですね。国王陛下のお母様のものだったのではありませんか？」

アクアマリンは神話の中で、海の精の宝物とされている。

そのため船乗りがお守りとしたり、夫婦や家族の繋がりに潤いをもたらすとも言われているので結婚のお祝いに贈られたりもする。

これはあくまで推測だが、国王の母親は海辺の街の出身で、指輪は嫁ぐ際に故郷の親しい誰かから贈られたのではないだろうか。読み取った期待と不安と幸せな気持ちからは、若い女性の初々しく柔らかな香りがした。

そう説明したオデットにジェラールは尊敬の眼差しを向けてくれるが、国王はそれがどうしたと言いたげだ。

「たしかにこれは母上の形見で、故郷は運河のある街だ。だが、故郷に関しては調べればわかること。そなたが感じたのはそれだけか？」

オデットは難しい顔をする。

もうひとり別の人物の感情を読み取ってはいるけれど、伝えていいものか迷う。

しかしながら「どうした？」と国王に促され、沈痛な面持ちで話しだす。

「その指輪は国王陛下のお母様が、レオポルド殿下に譲られたものだと思います」

これから結婚する女性の喜びや不安よりも、若い男性の強烈な苦しみの感情が強くしみ込んだ指輪だ。悩み続けた結果、この指輪の持ち主は自死を選んだと思われる。

「レオポルド殿下は自ら水に入り亡くなられた。溺れているような苦しみを感じました」

国王はじっとオデットを見据え、ジェラールは目を見開いている。

「伯父上は東洋貿易のための新航路を視察に向かう途中、海難事故で亡くなられたはずでは？」

「王家の威信に関わるゆえ、そう公表するしかなかったのだ」

つらそうに顔をしかめた国王は、チェーンを首にかけて指輪を服の内側にしまった。

「これは母上の形見であり、兄上の形見でもある。自分への戒めとしてこうして肌身離さず持ち歩いているのだ。苦しんで亡くなったか……。遺書がなかったゆえ、わしのせいではないと言ってくれる者もいたが、やはりそうか」

重たいため息が国王の膝に落ちる。

「わしの方が王の才覚があると周囲におだてられ、弟の身分をわきまえずに王位を望んでしまったのだ。わしが身を引いていれば兄上は今も生きていた。自死へと追い込んだわしへの恨みは相当深いだろう」

オデットとジェラールはかける言葉がなく、顔を見合わせた。

「お前たちの結婚についてはしばらく考えさせてくれ。情けないことだが未だに兄の死を消化できずにいるんだ」

話を締めくくられて退室したふたりは外へ出た。

王城の秋の風景を見せたいとジェラールが言ったからだ。

城壁内は広大で、西側のイチョウ並木をゆっくりと散策する。イチョウは半分ほど葉を落とし、黄色い絨毯が延びていた。

周囲に人の姿はなくデート気分で秋を楽しみたいところだが、オデットもジェラールも浮かない顔をしている。

「結婚の許しが得られず残念だ。だが諦めない。時間はかかるかもしれないけど、必ず父上を説得するから待っていてほしい」

結婚への想いの強さを感じさせる約束に、オデットは頬を染める。

「はい」と笑顔で答えたが、その顔がまた曇る。

「国王陛下は三十年も苦しんでいらっしゃるのですね。お可哀想です」

兄の形見を首から下げ、後悔にさいなまれる長き月日の苦しみはどれほどのものか。国を統べる者として落ち込んでいる顔も見せられず、今もひとり自責の念と静かに闘う国王の心をオデットは心配していた。

「わからず屋と怒ってもいいところを同情してくれるのか。オデットは優しいな」

イチョウの葉がハラリとオデットの髪に落ち、ジェラールが足を止めて取ってくれた。その葉を指で遊ばせながら、ジェラールは嘆息する。

「生まれる前の出来事だから詳しくは知らないが、父上と伯父上は仲のいい兄弟だったそうだ。きっと周囲の貴族たちが後継問題を利用して他家を蹴落とし、のし上がろうとしたんだろう。その結果、対立関係になってしまった。兄弟で憎しみ合わねばならないとは気の毒だ」

「あの、それは違うと思います。アクアマリンの指輪からは恨みの感情が伝わってきませんでした」

どうしたらいいのかと出口を探してもがいているような深い悩みと、入水の際の溺れる苦しみは強烈であったが、弟への憎しみは一切感じられなかった。

ジェラールが期待に口角を上げたが、すぐに難しい顔に戻る。

「それを父上に教えても、ご自分を責めるのをやめないだろう。本人の口から言われたのなら救われるかもしれないが。オデット、霊魂を呼び戻せない？」

　真顔で驚くことを問われ、オデットは胸の前で両手を振った。

「そんなすごい力はありません。私はただの宝石鑑定士ですので」

「〝ただの〟じゃない。偉大な鑑定士だ。その上に〝俺に愛されている〟も加えておこう」

　ウインクつきの甘い言葉にオデットの胸が高鳴る。

「私は世界一の幸せ者ですね」

　愛してもらえるだけで十分に幸せだとも伝えたら、ジェラールに抱きしめられた。

「オデットの謙虚なところも魅力的だけど、これで満足してもらっては困る。俺はオデットを妃にしたいんだ。そのためには父上に三十年前のケリをつけてもらわないと。協力してくれる？」

「は、はい、もちろんです」

「いい子だ」

　少し体を離したジェラールは、瞳を甘く艶めかせてオデットの顎をすくう。

　キスを予感したオデットは、自分の鼓動を耳元に聞きながらそっと目を瞑った。

　ついばむような優しいキスは、やがて我慢できないというように強引なものに変わる。濃く深く交わって、オデットを強く求める彼の情熱が伝わってきた。

初心なオデットはどこで息つぎしていいのかわからず少し困ったけれど、それ以上に嬉しくて夢中で彼の背に腕を回した。

(このまま時が止まればいいのに……)

イチョウの香りを含んだ涼しい風が吹く。

オデットの肩までの髪がなびいてふたりのキスを隠してくれるから、加速する恋心を止めずに、身も心もジェラールに委ねることができた。


木枯らしが吹き冬が目前に迫る頃、オデットは一週間の休みをもらい一年半ぶりに実家に帰省をした。

豊かだった時代に建てた屋敷なので室内の壁は浮彫で飾り柱があり、豪華で広々とした二階建てである。けれども古い調度類は素人修理で使い続けており、布張り椅子の破れ目につぎはぎをしている悲しさだ。

自然豊かな山があるのはありがたいことで、薪(まき)に不自由はなく、暖炉には赤々と炎が揺れていた。

オデットが到着したのは昨夜遅くで、両親と執事が起きていて出迎えてくれたが、会いたくてたまらなかった三歳の弟はすやすやと夢の中だった。

暖炉前の絨毯に膝をついたオデットは、朝起きてきたばかりの弟を両腕を広げて呼んだ。

「リュカ、おはよう。おいで。お姉ちゃんと一緒に遊ぼう！」

オデットと同じ栗色の髪と翡翠色の瞳を持ち、ぷっくりと垂れそうなほっぺの愛らしいリュカ。

目に入れても痛くないほど愛しい弟が、オデットを見て固まった。かと思ったら慌てて母親の背後に隠れ、顔だけ覗かせて知らない人を見るような目を向けてくる。

「誰でしゅか？」

オデットはハンマーで頭をぶん殴られたようなショックを受けた。

「リュカに、忘れられちゃった……」

がっくりとうなだれた娘を見て父が慌てた。

綿の襟つきのシャツに母が編んだ毛糸のベストを着た父は四十五歳で、垂れた目元がオデットに似ている。

優しくて少し頼りない父は、娘に駆け寄るとその肩に手を置いた。

「一年半も王都で頑張ってくれてオデットには感謝しているよ。リュカにも毎日、食事ができるのはお姉ちゃんのおかげだと話している。オデットを忘れないように似顔絵も描いてリュカの部屋に貼っておいたのだが、おかしいな」

「私の似顔絵？」

貴族ならばお抱えの画家がいて肖像画を飾るものだろうが、ログストン家にそのような余裕はない。

苦肉の策の似顔絵を、母が急いでリュカの部屋から持ってきた。

小柄で細身の母は四十歳間近なのに童顔だからか、オデットと並ぶと姉妹のように見える。

「ほら、これよ。お父さんが描いたの。リボンのカチューシャがあってオデットにそっくりでしょ」

掲げるように見せられた似顔絵に、オデットは泣きたくなる。

（リボンのカチューシャしか似ていないわ。というより、人間に見えない……）

父に絵心はないようで、福笑いのように顔のパーツの位置がずれていた。

この絵にそっくりと言われたら乙女心が傷つくし、リュカが実物のオデットを見て姉だと認識できなかったのも無理はない。

「リュカ、私がお姉ちゃんだよ。毎日リュカのことを想っていたんだよ。お願い、一緒に遊んで……」

リュカはまだ母親の足にしがみつくように隠れている。

オデットがしくしくと泣きだしたので、両親はおろおろと慰めようとする。

「そうだオデット、気分転換にお父さんと薪割りしないか？ 体を動かすとスッキリするぞ」

「それよりお母さんと栗拾いに行かない？ 近くの栗の木は収穫を終えたけど、もう少し備蓄したいから山に入ろうと思っているの」

（薪割りも栗拾いもするわ。でも今はすっごく悲しいから泣かせてほしい）

オデットが顔をくしゃくしゃにして泣いていたら、「あっ！」とリュカが声をあげて急にオデットに抱きついた。

「おねえたんだ。あしょぼ」

どうやら本気の泣き顔が似顔絵に似ていたようで、姉だとわかったらしい。

「う、嬉しい！ ここにいられる間、いっぱい遊ぼう。お姉ちゃん、リュカに会うために帰ってきたんだから」

オデットが歓喜してリュカを抱きしめたら、ドア口から遠慮がちに声をかけられた。

「旦那様、皆様、ちょっとよろしいでしょうか……」

生地が薄くなった黒服を着ているのは四十歳の執事、ノーマンだ。

満足に給料を払えないのに代々仕えてきたからと辞めずにいてくれるノーマンは、後ろに来客をひとり連れていた。

誰だろうと一瞬考えてしまったオデットだが、直後にハッとした。

苦笑してノーマンの陰から現れたのはジェラールだ。

「オデット、帰省の第一目的を忘れてもらっては困るよ」

ジェラールがログストン伯爵家を訪ねたのは、オデットを娶りたいという意志を伝えるため。それと、レオポルドが弟を恨んでいなかったという証拠探しのためだ。

ふたりで国王に挨拶に行った日から半月ほど、三十年前の話を聞かせてほしいとレオポルド派の貴族たちを訪ねたり、手紙を送ったりした。けれども誰も協力してはくれない。

王都近くに領地を持つ、ある伯爵邸を訪問した時には――。

『お帰りくださいませ。我が家には王太子殿下のお口に合うような紅茶や菓子はございません』

『もてなしてほしいわけではないのです。レオポルド伯父上の話を――』

『我らを排除しておきながら今さらなにを話せと仰るのですか？　どうかお帰りを』

そのように追い返され、王族への強い拒否感を見せつけられただけであった。

それでジェラールがオデットの実家に行こうと提案したのだ。

『ログストン家もかつてはレオポルド派だ。先代当主から伯父上についてなにか聞いているかもしれない。父上から許しは得られていないが、ログストン伯爵に挨拶をして、オデットとの結婚の意志を伝えておこうとも思うんだ』

王都から遠く馬車で一日半かかる道のりなので、オデットは一週間の休みをもらったが、ジェラールは公務に忙しいため滞在できないという。時間ができ次第、馬を走らせるからと言われ、オデットはひと足先に帰ってきたのだ。

ジェラールがこんなに早く来るとは思わなかったので、まだ両親に帰省の目的を話しておらず、王太子の顔も知らない両親はポカンとしている。

弟に夢中になるあまりジェラールが来ることを忘れそうになっていたオデットは、慌てて立ち上がって頭を下げた。

「殿下、すみません。まだ両親になにも話していないんです」

その言葉に目を見開いた両親が、口々に言う。

「殿下ってまさか――」

「王太子殿下でいらっしゃいますか⁉」

ジェラールはマントを脱いでノーマンに預けると、微笑して歩み寄った。

「ログストン伯爵とご夫人、初めまして。私はジェラール・クリスト・バシュラルフです。突然の訪問を許してください」

ジェラールの握手の求めに応じる父は目を白黒させている。

「うちの娘が、なにか……？」

なにをしでかしたのかと恐れているようなオデットの父に、ジェラールが笑みを強めた。

「オデットは私の恋人です」

「こ、恋人⁉」

「結婚を考えています。必ずや幸せにしますので、オデットを私の妃にいただきたい」

「き、妃⁉」

オウムのように繰り返しては仰天する両親。

王家の反対勢力とみなされて以降、領地から出ずに細々と暮らしてきたので、天地がひっくり返るほどの驚きだろう。

「お父さん、お母さん、大丈夫？」

リュカを抱き上げたオデットが心配して声をかけるも、両親は石像のように固まってなにも答えない。

(帰る前に送った手紙に、殿下について書いた方がよかったかしら)

驚きから回復するまでしばし時間が必要な様子なので、その間、弟と遊んでいようとのんきに考えるオデットだった。

三十分ほどが経って、居間には紅茶の湯気が立ち上っている。

四人掛けの長方形のテーブルに向かうのは両親とジェラールの三人で、オデットは絨毯に膝をつき、リュカを木馬に乗せて揺らしてあげている。

やっと驚きの波が去った両親は、オデットとジェラールの出会いを聞いて恋人関係にあると納得してくれた。

オデットの父がしみじみと言う。

「娘には苦労をかけているので、幸せな結婚をしてほしいと願っておりました。娘を気に入ってくださいまして誠にありがとうございます」

「よかった。少々心配していたのですよ。反対されるのではないかと。それでもオデットを諦めはしませんが」

「私どもが反対など、滅相もございません」

なぜそのような心配をするのかと言いたげな父に、ジェラールがスッと笑みを消した。

「ログストン伯爵家はレオポルド派と言われているからです」

「それは――」

「いえ、あなたが王家に敵意をお持ちでないのはわかっています。レオポルド派だったのは先代当主。そこで伺いたい。伯父上について、先代からなにか聞いていませんか?」

レオポルドが弟を恨んでいなかったと証明できれば、国王は過去の後悔から抜け出して、ジェラールとオデットの結婚も許してくれるだろう。

その手がかりが欲しいのだとジェラールは求めたが、オデットの父は困り顔になる。

「レオポルド殿下についてですか。父からは、特に記憶に残るような話は……」

オデットはリュカと遊びながら、テーブルでの会話に耳を傾けている。

(聞かされていないのね。うちが駄目なら、どこをあたればいいのかしら)

「おねえたん。あちた」

「飽きたの? あ、じゃあ、かくれんぼする?」

「しゅる!」

リュカを木馬から下ろしてふたりきりでかくれんぼを始めたが、オデットと一緒に隠れると言うので鬼がいない。

居間の飾り柱と壁の間の、角度によっては丸見えのスペースにリュカを抱っこしてすっぽりと収まる。

小さく柔らかで温かい弟の体に幸せを感じるが、やはりジェラールと両親の会話は気にかかる。

「ささいな情報でもいいのです。どうか思い出してください」

「は、はい」

こめかみを押さえ難しい顔をして考え込む父に、ノーマンが近づいて声をかけた。

「旦那様、こちらを」

ノーマンが持ってきたのは革表紙の古い日記帳だった。それを見て、父の眉間の皺が解ける。

「そうだ、父の日記を読めばなにかわかるかもしれない。ノーマン、でかした！」

「恐縮でございます」

テーブルの上で日記を開いて、父とジェラールが身を乗り出すようにして覗き込む。

オデットもそこに加わりたい気持ちだが、滞在中しか弟を抱きしめられないと思えば、小さな体を離しがたい。

「おねえたん、ちゅまんない」

「そ、そうよね。鬼がいないもんね」

今度は追いかけっこ。

居間を出て廊下をバタバタと走り回っていると、ジェラールと両親が出てきた。

玄関ホールでノーマンからマントを渡されているジェラールを見て、オデットは驚いて駆け寄る。

「もうお帰りになるんですか？」

「ああ。もとから長居はしないつもりでいたんだ。外に騎士と馬も待たせている。それに用は済んだから」

彼の口の端はニッと挑戦的につり上がり、成果を得られた様子であった。

オデットは期待に目を輝かせ、なにがわかったのかと問いかけたが教えてくれない。

「まだ糸口を見つけただけなんだ。だが、俺の予想が正しければきっと彼だろう。城に戻ったら調べてみるよ」

目を瞬かせたオデットを引き寄せたジェラールが、その額に口づける。

たちまち頬を染めるオデットに、彼はいたずらめかしたように言う。

「公務が詰まっていてよかったな」

「え？」

「もしここに泊まっていけたなら、婚姻の儀を待てずにオデットを俺のものにしたくなる」

（それって、つまり……）

オデットは顔から火を噴きそうなほど真っ赤になってもじもじと恥じらい、ジェラールが愛しげに見つめている。

仲睦まじいふたりの様子に、オデットの両親はアタフタし始めた。

「そ、そうだ。急いであれを、ああしないといけなかったんだ。なぁお前？」

「そうね。それを、そうしないといけなかったんだわ。殿下のお見送りはオデットに任せましょう」

「おねえたん、ちゅかまえ――」

「リュカはお父さんとあっちで遊ぼうな」

ノーマンも気を利かせて玄関ホールからそっと離れたので、オデットとジェラールのふたりきりになる。

「オデット、顔を上げて」

「あ、あの、恥ずかしくて……あっ」

顎をすくわれて唇を奪われた。

深くオデットを味わったジェラールは、愛しい恋人の頭を撫でてから玄関ドアを開けて出ていく。

「王都で待っているよ」

玄関の外では護衛の騎士が二頭の馬とともにジェラールを待っていた。

ひらりと鞍に跨ったふたりは馬を飛ばし、その姿はすぐに見えなくなった。

到着して一時間足らずの滞在で、また遠路を駆けるとは体力的に厳しいだろう。

自分との結婚ために身を削ってくれる彼に感謝し、静かに胸を高鳴らせるオデットであった。

晩秋の日暮れは早く、十六時の空は燃えるように赤い。

一週間の帰省を終えてオデットがカルダタンに着いたのはつい先ほどで、ブルノに挨拶した後はベージュのコートも脱がずにまた外へ。

訪ねたのは、隣のコロンベーカリーだ。

「いらっしゃ……やあ、オデット。帰ってきたんだね」

客足の途切れた店内の会計カウンターから声をかけてくれたのは、ルネの父。

「はい、今着いたところです。それでこれはお土産です。皆さんで召し上がってください」

カウンターに歩み寄り、両手に抱えていた麻袋をドサッと置いたら、奥の調理場からバタバタと騒がしい音がした。

扉が勢いよく開いて、粉まみれの手をはたきながらルネが出てくる。

「首を長くして待っていたのよ」

オデットの両肩を掴んで目を輝かせるルネは、「で？」と笑顔で問う。

「ルネ、ただいま。お土産はその麻袋の中よ。お父さんが育てたジャガイモなの。ホクホクしてすごく美味しかったわ」

「お父さんのジャガイモ？」

伯爵が畑仕事をするものなのかと疑問に思ったのであろうが、オデットはルネの眉が寄ったのを見て、ジャガイモに不満があるのだと勘違いした。

「そうよね。コロンベーカリーの皆さんにはいつもお世話になっているのに、ジャガイモだけなんて失礼だったわ。ごめんなさい。栗のシロップ漬けもあるのよ。後で持ってくるわね。それはお母さんの手作りなの」

オデットの両肩を掴んでいる手に力が加わり、さらに不機嫌そうな顔をされた。

「お土産はなんでもいいわよ。そうじゃなくて、もっと他に私に報告することがあるでしょ？」

「あ、弟のリュカのことね。お喋りが上手になっていて嬉しかったわ。最初は警戒されちゃったんだけど、私が帰る時には、おねえたんと一緒に行くって泣かれて……」

可愛い弟と別れるのは、オデットもつらかった。

リュカの泣き顔を思い出し思わず目を潤ませたら、ルネに大声で叱られる。

「そんなほのぼのした話が聞きたいんじゃないのよ！　オデットの結婚はどうなったの？」

国王に待ったをかけられている状況なのは、心配されると思いまだルネに教えていない。今回の帰省でジェラールが両親に挨拶するという予定だけ話したので、ルネは輿入れに向けての進捗状況を聞きたいのだろう。

「ル、ルネ、落ち着いて――」

オデットが片足を引いたらドアベルが鳴る。

お客さんかと振り向いたが、現れたのはジェラールだった。

お忍び用の眼鏡をかけていても貴族的なマントを羽織り、平民になりきれていない彼がオデットを抱きしめる。

「会いたかった。オデットのいない数日が、数か月に感じたほどだ。毎晩夢に出てきてくれたから、なんとか耐えられた」

恋しがってくれたことに頬を染めて喜んだオデットだが、同時に罪悪感も覚える。

(リュカと全力で遊んでいた私は、疲れて夜はぐっすり眠って夢を覚えていないわ)

私も寂しかったと嘘をつけず返事に困ったけれど、抱擁を解いたジェラールがオデットの手首を掴んでドアへと向かった。

「ブルノさんに聞いたよ。戻ったばかりだから、今日も休みをもらっているそうだね」

「はい。明日からでいいと言われています」

「それじゃ行こう。これ以上長引かせるのは我慢ならない。今日中に決着をつけるつもりだ」

「え?」

店の前で白馬が一頭待っていた。

オデットを馬の背に押し上げて、その後ろに跨ったジェラールが手綱を持つ。

ルネの父親はポカンとしているが、ルネは店先に出てきて大興奮だ。

「キャー、また白馬! どこに行くのか知らないけど、いってらっしゃい!」

「い、いってきます……」

速足で駆けだした馬は、中央区に向かっているようだ。

密着する体に伝わる温もりと道行く人に指を差される恥ずかしさで頬を染めつつ、オデットは問いかける。

「どこへ行くんですか？」

「それは後で。順を追って話そう」

ジェラールは、オデットの実家で読んだ先代当主の日記から説明する。

「先代のログストン伯爵が、レオポルド伯父上が王位を継ぐのを支持していたのは確かだが、親交が厚いわけではなかったんだ——」

あの日記は三十三年前から五年分の毎日が綴られており、その中でレオポルドと対面したという記載はわずか四か所であった。

それも一対一ではなく、晩餐会や国政会議で言葉を交わした程度である。

残念ながらレオポルドの弟に対する想いを聞かされるほどの間柄ではないとわかったが、ひとつ気になる情報を見つけた。

「伯父上の従僕について書かれていた」

従僕は主に身の回りの世話をする使用人だが、レオポルドには国政会議に同行させ、書類を渡したりメモを取らせたり、さらに助言まで受けるほど信頼していた従僕がいたらしい。お仕着せ姿の従僕が議場でそのような振る舞いをするため、かなり目立っていたと書かれていた。レオポルドには良家の子弟である近侍がふたりいたはずなのに、その従僕の方を頼っていたのが窺える。

ジェラールの説明は理路整然として事務的にも感じられるが、その声には気の高ぶりを押さえているような響きがあった。

オデットが振り向いたら近すぎる距離に端整な顔があって胸が弾み、慌てて視線を前方に戻して問いかける。

「その方のお名前は書かれていたんですか？」

「いや。だから王城に戻って調べた」

過去の使用人名簿から見当をつけ、その頃から勤めている使用人にも話を聞いて名前を特定したという。

「スチュワート・ガレ。当時の年齢は二十五歳。頭脳明晰な青年だったらしい。古参の使用人の記憶によると、頬骨の張った顔立ちで髪は焦げ茶色、瞳は青。右手の甲にシミのような大きなほくろがあるのが特徴だそうだ」

ガレの今の居所はわからない。レオポルドが亡くなって間もなく、彼は王城勤めを辞めている。『他の主に仕える気はない』と言って去ったそうだ。

ガレを探し出そうということなのだろうが、オデットに心当たりはない。

「ガレさん。私は聞いたことのないお名前です。今は五十五歳ですよね。髪や目の色は珍しくないですし、手の甲のほくろは知り合いなら思い当たるかもしれませんけど……あれ？」

その特徴を持つ人物を知っている気がして、オデットは目を瞬かせた。

ジェラールがフッと笑み、馬の歩調を緩める。

「ガレにはもうひとつ特徴がある。『他の主に仕える気はない』と言ったそうだが、つまり、俺の父上への奉公を拒否したということだ。きっと伯父上が弟に追い詰められたと思っているのだろう。その息子である俺に会ったら、ガレはどんな反応をすると思う？」

「うーん……当時生まれてもいなかった殿下を恨むのは筋違いだと思いますけど、好きにはなれないと思います。笑顔でご挨拶したり、愛想よくお話ししたりはできないかも――」

そこまで話して、オデットの脳裏にはひとりの男性の顔が浮かんだ。

「あっ！」

馬が足を止めたのは、グスマン伯爵邸の前だ。

ルビーをあしらった銀のスプーンの件で二度訪問したのは、まだ記憶に新しい。

ジェラールが挑戦的に目を光らせる。

「そう。ガレは、グスマン伯爵邸の執事だ」

出会った時に執事なのに不愛想な人だと少しだけ引っかかりを覚えたが、それは王家への遺恨があったからだろう。

国王と同じようにガレも三十年前の出来事を引きずっているのかもしれない。公式発表は事故死だが、側近だったガレがレオポルドの自死を知らないはずはないだろうから。

開いていた門から入り、馬を玄関アプローチの横の馬留に繋いだ。

両開きの玄関ドアの前に立ったジェラールは、変装の必要がないため眼鏡を外す。

半歩下がった位置にいるオデットは、緊張して無意識にジェラールのマントを掴んでいた。

ジェラールがドアノッカーを叩いたら、数秒して応対に出たのはガレだ。

訪問を事前に知らせていないため眉を上げたが、その眉間にたちまち皺が寄り、招かれざる客が来たと言いたげな顔になる。

それでも執事としての礼儀は忘れていないようで、頭を下げる。

「王太子殿下、ようこそお越しくださいました。大変申し訳ございませんが旦那様は外出中でございます。奥様を呼んで参りますので少々お待ち願います」

背を向けようとするガレを、ジェラールが呼び止める。

「いや、夫人は呼ばなくていい。あなたに用がある」

「また、私にですか」

以前もそうだったからか、ガレは驚きはせずに承知してくれた。

通されたのは前と同じ玄関横の、従者や配達人を待たせるための簡素な小部屋だ。

「お邪魔します……」

あなたまで来たのかとは言われなかったが、オデットは首をすくめるようにして入室し、勧められた簡素なテーブルセットにジェラールと向かい合って座った。

「今回はどのようなご用件でございましょう？」

そばに立ったガレが笑みも作らず尋ねたのに対し、ジェラールは大袈裟（おおげさ）なほどにこやかに答える。

「スチュワート・ガレ。レオポルド伯父上の遺書を渡しなさい」

途端にガレの目が見開かれた。

数秒の沈黙が下りる中、オデットはハラハラと両者の顔を窺い戸惑っている。

(たしか国王陛下は、遺書はなかったと仰っていたわよね。殿下はどうしてガレさんが隠し持っていると思ったのかしら?)

ジェラールがニヤリと口の端を上げたら、ガレが嘆息する。

「レオポルド様は遺書を残されておりません。王太子殿下は私の正体を見破ったと仰りたいようですが、身元を偽ったことはございません」

「ああ、そうだろう。伯父上亡き後、あなたは王都を出てレオポルド派の屋敷を転々とした。伯父上に仕えていた従僕だと言えば、喜んで雇ってもらえただろうから。父上への反意を覚える者同士、政権への不満を言い合いながら気持ちよく仕事をしていたんじゃないか?」

皮肉めいた言い方に、ガレの眉間に皺が寄る。

遺書を渡してほしいなら気分を害してはいけないのにとオデットは考えるが、ジェラールはガレを不快にさせても一向に構わず話を進める。

「たしか、グスマン伯爵に鞍替えしたのは十年ほど前だと言っていたね」

「鞍替えではございません。できることならレオポルド様への想いを同じにする主人に仕えたいと思っていました。ですが——」

政界を追放されレオポルド派の貴族たちは、三十年で財力も衰えた。どの家も雇い人を減らし、かつてのような優雅な暮らしはできずにいる。

ガレもこれ以上は雇えないと解雇され、致し方なく中立派のグスマン伯爵に仕えているというわけだ。

誰のせいだと言いたげな視線を向けてくるガレに、ジェラールはここぞとばかりに同情する。

「この三十年、あなたが苦難の道を歩まれたのは想像できる。苦労させてしまったこと、父上に代わり謝罪しよう。申し訳なかった」

「謝罪などされたって、この悲しみや怒り、虚しさが解消されるはずないでしょう!」

ガレが急に声を荒らげたから、オデットは肩を揺らした。

ジェラールは真顔で彼の怒りを受け止め、無礼だと咎めようとしない。いやむしろ、ガレが押さえ込んでいた感情を引き出そうと企んでいるような気がする。

ガレは両手を握りしめ、わなわなと震えていた。

「レオポルド様はただの従僕だった私に、生きる喜びを与えてくださった太陽のようなお方でした――」

貧しいながら高等教育を受けて学び舎を首席で卒業したガレは、倍率の高い王城での採用試験に合格した。若かったその頃は、頭脳を生かして活躍したいと思っていたそうだ。

しかし与えられる仕事は期待と違っていた。初めに仕えたのは先代国王の弟で、身の回りの世話や執事に指示されての雑用ばかり。仕事への意欲を失いかけていた時に、配置換えがあってレオポルドに仕えることとなった。

レオポルドはそれまでの主君と違い、ガレ本人の能力を評価してスケジュール管理や書類整理、政務の相談までしてくれた。

それによって仕事への情熱を取り戻すことができたが、近侍には出しゃばるなと疎まれてしまった。

嫌がらせをする近侍を諭して守ってくれたのもレオポルドであったという。

「レオポルド様が王位に就かれるのを切望していたのです。国王となられたレオポルド様に仕えるのが私の夢でした。それが――」

ガレが目に涙を浮かべ、ジェラールを睨む。

「あなた様のお父上、ガブリエル様が私から夢と希望を奪ったのです。兄を死に追いやったと後悔し、懺悔の日々を送ることがせめてもの償いではございませんか！」

オデットは悲しい気持ちでガレを見つめる。

（ガレさんは悔しかったのよね。国王陛下を恨まないと生きられないほど……）

「なるほど。それがあなたの目的か」

ジェラールは頷いて立ち上がり、ガレの前に立つ。琥珀色の瞳は憐憫の情を浮かべているけれど、それでも言わなければと声を厳しくする。

「遺書はあるんだね。父上に後悔させたいと言うからには、遺書に綴られていたのは弟を思いやる言葉だったのだろう？」

レオポルドは深い悩みの中にいたものの、日常の様子に変わったところはなかったと国王が言っていたそうだ。精神に異常をきたしてのことではなく、覚悟の上の自死ならば、遺書があるはずだとジェラールは考えたらしい。

そしてジェラールの推測通り、遺書はガレが持っているようだ。

「伯父上の遺書はあなたが隠し持っていていいものではない。渡しなさい」

王太子として命じたジェラールに、ガレが片足を引き、唇を噛む。

「父上を逆恨みせず、悔しさは自己解決すべきだ。遺書には父上に宛てた伯父上の最後の願いが書かれているはず。その遺書を自分の無念を晴らすために隠すとは許しがたい。忠臣の顔をして伯父上を裏切るな」

「違う、私はレオポルド様のために――」

かぶりを振るガレが唸るような声を漏らし、急に脱力してうなだれた。

「あなた様の仰る通りでございます。遺書を隠したのはレオポルド様のためではなく、私自身のためでした。情けない……」

ガレは部屋を出ていき、レオポルドの遺書を持ってすぐに戻ってきた。

それは白い封筒に入れられて、封蝋が押された形跡がある。中を確かめたくて、封を破ってしまったとガレが言った。

「遺書はガブリエル様に宛てられたこの一通だけでございます。執務室の引き出しに入っておりました。レオポルド様は私に――」

亡くなる前日の就寝前、レオポルドがガレを呼んでこんな指示をしたという。

『明日の朝、執務机の二段目の引き出しを開けて、中にある物をガブリエルに渡してほしい。頼んだよ』

レオポルドの亡骸が港の水夫により発見されたのは早朝のこと。

その一報が王城に届いて大混乱に陥る中、ガレは主君の執務室に佇んでいた。

衝撃と悲しみ、悔しさがないまぜになり、血があふれるほどに唇を噛みしめたガレは、遺書の封を破って中を確かめた。

この遺書に弟への恨みつらみが書かれていたならガブリエルに渡したが、そのような内容ではなかった。

ガブリエルには兄の死の責任を痛感してほしかったため、遺書は上着の内ポケットに入れて持ち去った――それが真相であった。

遺書を受け取ったジェラールは、テーブルに戻ってオデットにも見えるように中の便箋を広げた。

『親愛なる弟へ』という書き出しで、自分たちの後継争いのせいで貴族たちを二分させてしまい、紛争により国民が不幸になっているとレオポルドは憂いていた。

『私が身を引こうとしても、後押ししてくれた貴族たちがそれを許さぬだろう。それは君とて同じことだ。ならば私という存在をこの世から消そうと思う。君は幼い頃から私より馬術も勉学も優れていた。国を統べるのは君の方がいい。どうか国民に幸せを。そして君自身も幸せでいてほしい。君と双子で生まれた私も幸せ者だ。血を分けた大切な弟の君を心から愛している。今までありがとう』

黙読したオデットの目に涙があふれた。

「レオポルド殿下は、お優しくて、情け深い方だったのですね……」

もし双子ではなく、ひとつでも歳の差があれば、慣例通り兄のレオポルドが王位に就いていただろう。

双子であっても、もし王家ではない家に生まれていたなら、後継争いなど起きずに隣で笑っていられたかもしれない。

そのように嘆くのではなく、レオポルドは自分を幸せ者だと書き残した。

弟への深い愛情に、オデットは胸が締めつけられた。

「これが、レオポルド殿下の願い。国王陛下に早くお見せしたいです。形見の指輪を首にさげて今も苦しんでいらっしゃる陛下に……」

涙をポロポロとこぼしてそう言うとガレが目を見開き、直後にいたたまれない様子で両手で顔を覆った。

「そうですか。ガブリエル様がレオポルド様の指輪を。兄弟を愛する気持ちはガブリエル様にもあったのですね。後悔すればいいと恨んでいた私が愚かでした。大変申し訳ございません……」

苦労を重ねたようなごつごつした指の間に涙が伝う。

ジェラールはガレに歩み寄り、その肩に手を置いた。

「伯父上は父上と敵対したくはなかった。争いも、誰の不幸も望んでいない。ならばその遺志を私が継ごう」

ガレが震える両手を顔から離し、驚きの目にジェラールを映した。

「そこで一緒に泣いてくれている心優しきオデットは、レオポルド派と言われるログストン伯爵家の令嬢だ。私はオデットを妃にする。それを機にレオポルド派の貴族たちを政界に戻そうと考えている」

ジェラールを見つめるガレの瞳に、たちまち尊敬の色が広がっていく。

「私も争いは嫌です。みんなが仲良く暮らしていけるといいですね」

オデットが涙を拭って微笑むと、ガレは感嘆の声を漏らしてふたりに深々と頭を下げた。

翌日のカルダタンのティータイムは、オデットとジェラールのふたりきりである。

ブルノはジュエリーの修理依頼が溜まっているからと紅茶を一杯飲んだらすぐに作業部屋に戻り、ルネは焼き立てのアップルシナモンパイを届けに来た後ニヤニヤしてすぐに帰った。

『私、すっごく忙しくてのんきにお茶してられないのよ。あ、ロイが学校から帰ってきたら呼び止めてうちでおやつを食べさせとく。オデットはふたりの世界を楽しんで』

あからさまに気を利かせてくれて、オデットが赤面したのは言うまでもない。

客のいない店内に、修理の金槌（かなづち）の音が小さく聞こえる中、オデットは窓辺に置かれた丸テーブルにジェラールと隣り合って座り、笑みを浮かべる。

「国王陛下のお心が救われて本当によかったです」

「そうだな」

昨夜、グスマン伯爵邸を出たふたりはその足で王城へ向かい、国王に遺書を渡した。開封されていたものの、筆跡は間違いなく兄のものだと認めてくれて、読んだ後に国王はしばらく静かに涙を流していた。

『そうだ。兄上はわしを恨むような狭量な男ではなかった。いつも温かく寛大で、その優しさゆえに脆(もろ)いところもある。わしはいつか王になる兄を支えようと幼い頃から勉学に励み、しかし逆に励まされ、わしら兄弟はいつも助け合って生きてきたんだ……』

子供の頃の思い出をいくつか語ってくれた国王は、最後には雨上がりの空のような清々しい顔でこう言ってくれた。

『お前たちの結婚を許そう。ジェラールのもうひとつの頼みも、前向きに検討する』

ジェラールの頼みとは、レオポルド派の貴族を政界に戻すというものだ。

すべてがいい方に向かったのはジェラールのおかげで、オデットは紅茶を飲む恋人を頼もしく思って見つめる。

「遺書はないと言われたら、私はそうなんだと思うだけでした。ガレさんが持っていることまで突き止めて説得した殿下を心から尊敬します」

すると紅茶のカップを置いたジェラールがウインクをくれる。

「尊敬か。嬉しいけど愛も欲しい。俺の唇にキスを」

右を向けば窓があり、誰に見られるかもわからない。

来客だってあるかもしれず、恥ずかしがり屋のオデットには無理な要求である。

「あ、あの、今は駄目です」

頬を染めて断ると、「残念」と言いつつもジェラールはクスクスと笑う。

「俺もオデットを尊敬しているよ。形見の指輪に恨みの感情はないと教えてくれたからこそ、遺書を捜そうと思ったんだ。オデットの不思議な鑑定力がなければ、こんなに早く解決はしなかった。ありがとう。今回もオデットに助けられた」

お礼を言われて心の中がじんわりと温まる。

くすぐったくも感じてフフと笑えば、オデットの左手にジェラールの右手が重なった。

たちまち鼓動を速めたオデットに、ジェラールがなぜかため息をつく。

「いきなり婚約はまずいから、まずはオデットを貴族たちに紹介するための晩餐会を開かないとな。そして婚約式と婚約発表。婚姻の儀はどんなに準備を急いでも一年後だろう。一年は長い。俺は我慢できるだろうか?」

「えっ……」

いくらオデットでも、我慢の意味がわからないほど子供ではない。我慢できなかったらどうなるのかと想像してしまい、たちまち耳まで真っ赤に染まった。

その反応を待っていたというように、ジェラールがオデットの頭を撫でて嬉しそうに笑った。

聖女と水晶のブレスレット

空から雪がチラチラと降っている。

まだ積もるほどではないが、冬に入ったのでどの家も玄関脇には除雪用のスコップが用意されていた。

家々の煙突からは煙が立ち上り、王都の空の色を一段階暗く染めている。

十五時過ぎのカルダタンは、ダルマストーブに薪が燃えて暖かい。

「ありがとうございました」

オデットが客を見送ったら、ルネが張り切ってバスケットの蓋を開けた。

「今日のお茶菓子はシュークリームよ」

「わー、すごく綺麗で美味しそう！　ルネが作るお菓子はどれも全部大好きよ」

「まぁね。だてに十九年、パン屋の娘をやってないわよ。私もオデットが美味しそうに食べてくれる顔が好き。ウサギみたいで可愛いんだよね。ジェイさんもそう思うでしょ？」

ジェラールは三分ほど前にやってきたばかりで、カウンター横のダルマストーブの前にぼんやり突っ立っている。庶民風のコートもまだ脱いでいない。

「ジェイさん？」

どうしたのかとオデットが目を瞬かせたら、ジェラールがハッとして微笑んだ。

「ごめん、なに？」

「いえ、あの、お疲れですか？」

彼の前に立ち心配して顔色を窺えば、まだ温まっていない手で頬を挟まれた。

「大丈夫だよ。でも癒しは欲しい。この意味、わかるよね？」

いたずらめかした口調でそう言ったジェラールは、端整な顔を斜めに傾け近づけてくる。

皆が見ていると慌てたオデットがジェラールの胸を押すより先に、ロイが体当たりを食らわせてキスを阻止した。ロイもつい先ほど学校から帰ってきたところだ。

「恋人だからって人前でイチャつくな。オデットが困っているだろ！」

相変わらず王太子に対して微塵の敬意も示さないロイだが、ジェラールは怒らずに感心している。

「へぇ。ついに俺とオデットの仲を認めたのか。『僕のオデット』と言われるかと思っていたんだが」

「仕方ないだろ。オデットがお前を好きだと言うんだから。幸せにしないと許さないからな」

「幸せは保証するが、子供の君に許してもらおうとは思わない」

「なんだと⁉」

オデットはクスクスと笑って、ふたりの口喧嘩を温かく見守る。

（弟みたいに可愛いロイ。やっと姉離れかしら？　少しだけ寂しい気もするわね）

ブルノが作業部屋から出てきていつもの席に着き、ルネがテーブルから声を張り上げる。

「オデット、ケトル持ってきて」

「はーい」

ダルマストーブの上でシュンシュン音を立てているケトルからティーポットに湯を注ぐと、かぐわしい香りが立ち上る。

ティータイムの始まりで、五人は当たり前のようにテーブルを囲んだ。

「それで、結婚はいつに決まったの？」

ルネがバスケットのシュークリームに手を伸ばして問う。

「まだ日付は決まっていないわ。その前にやることがたくさんあって。婚姻の儀については話も出ていないの」

「国王陛下に許してもらって半月も経ったのに？　他のやることってなんなのよ」

社交界デビューもしていないオデットなので、まずは貴族たちに紹介するための晩餐会を開くのだ。招待状は発送済みで、開催日は一週間後だ。

これでも十分に急いでくれているので、オデットはジェラールに感謝している。

「ふうん。王族って面倒くさいのね。庶民でよかった」

ルネの正直すぎる感想にジェラールが苦笑したら、ドアベルが鳴った。

「こんにちは、あの、すみません……」

小さな声で挨拶し、オドオドと顔だけ覗かせたのは、ロイと同じ年頃の制服を着た少女だ。肩までの栗色の髪と緑色の瞳を持ち、オデットに少し似た雰囲気で可愛らしい。

「あっ！」

ロイが焦ったような声を出し、慌てて少女に駆け寄った。

どうやらロイの学校の友達のようだ。

「ロイくん、この前のお礼を渡そうと思ったの。でも学校ではみんながいるから、なかなか渡せなくて……」

「お礼なんかいらないよ」

異性の友人との会話をオデットたちに聞かれるのが恥ずかしいのか、ロイは迷惑顔をしている。

(そういう年頃よね)

フフと笑ったオデットはふたりに歩み寄り、優しく声をかける。

「こんにちは。ロイのお友達ね。そこは寒いわ。中に入って一緒にお茶を飲みましょう。お名前は？」

「リリアです」

「リリアさん、歓迎するわ」

「オデット！」

文句がありそうなロイを、オデットが姉のようにたしなめる。

「お友達には優しくしようね」

チッと舌打ちしたロイは面白くなさそうに椅子に座り、リリアが持っている紙袋に視線を落とした。

「それをロイに渡しに来てくれたのね？」

頷いたリリアは、ロイが不貞腐(ふてくさ)れた態度なのでオデットに差し出した。

「開けていい？」

「はい」

リリアをテーブルへと誘導しながらオデットが紙袋を開けると、出てきたのは三個のシュークリームだった。

「あの、壊れたイヤリングをロイくんが直してくれたんです。すごく嬉しくて、お母さんに教えてもらってシュークリームを……あっ」

テーブルの上の大きなバスケットには、たくさんのシュークリームが入っている。

それに気づいてリリアが固まった。

同じものを持ってきてしまっただけでなく、プロであるルネが作ったものだから見た目が美しい。表面はサクッとして、中はふんわり。カスタードと生クリームの二層を挟んでいて、白鳥の形をした芸術的なものまである。

リリアのシュークリームは不格好で、頑張って初めて作ったという感じがした。

ルネが慌ててバスケットの蓋を閉めたが、もう遅い。

「ごめんなさい……」

悲しそうなリリアは椅子に座ることなくしょんぼりと肩を落とし、出ていこうとしている。

それを止めたのはロイだ。

オデットの手から紙袋ごとシュークリームを奪ったロイは、むしゃむしゃと三つとも平らげた。

「すげーうまい。ルネのシュークリームなんか目じゃないな。リリア、また今度作って」

「う、うん！」

パッと花が咲いたような笑顔を見せるリリアと、照れくさくてどんな顔をすればいいのかわからずそっぽを向いているロイ。

ルネは必死に笑うのをこらえていて、ブルノは孫の頭にポンと手を置いた。

オデットはロイの精神的な成長を感じて嬉しくなり、その気持ちを共有しようとジェラールを見た。

けれどもジェラールだけはぼんやりと、窓の外に視線を留めている。

（殿下……？）

大丈夫だと言っていたが、本当はかなり疲れているようだ。

（帰って休んでくださいと言いたいけど、来たばかりなのにそれも大変よね……）

オデットはジェラールを心配しつつ自分の席にリリアを座らせ、紅茶のカップを取りに自室兼ダイニングキッチンに入る。

花柄の可愛いカップを手に店内に戻ったら、ブルノが新聞の注目記事を皆に教えているところだった。

「聖女降臨と書いてあるぞ」

「オデットのこと？」

キョトンとして問いかけたのはロイだ。

特異な鑑定力で〝下町の聖女〟と呼ばれたことがあったため勘違いしたのだろうが、新聞記事になるほどの噂にはなっていないはずである。

ブルノが笑いながら否定する。

「誰もオデットが本当に聖女だと思っていないさ。冗談で言っているんだよ。この記事に書かれているのは本物の聖女だ。あちこちで病人や怪我人を治して回っているらしいぞ。すごいな」

聖女と聞いて、リバルベスタ教会から見つかった水晶玉と、バロ司教が教えてくれた話を思い出した。

三百年ほど前に疫病が蔓延した時に聖女サヨが異世界から召喚され、不思議な力で病人を癒した。それは童話として受け継がれ、作り話だと思っている者が多い。

「聖女って本当にいたの⁉」

教会を訪ねた時のオデットと同じようにルネは驚き、ロイとリリアも不思議そうな顔をした。

「なんだ、お前たちはただのおとぎ話だと思っていたのか」

オデットがリリアに紅茶を淹れている間、ブルノが三百年前の聖女の功績について皆に教えた。それはバロ司教の話と同じで、きっとブルノはなにかの際に司教から聞いたのだろう。

「ふーん、聖女ってすごいんだね。でも、今は疫病が流行っているわけじゃないのに、どうして現れたの？」

ロイの素朴な疑問に、ブルノが新聞記事を読み直す。

「それは書いていないからわからんな。だが、こうして記事にされたら聖女は一気に国中の注目を浴びる。追加の記事もすぐに出るだろう。バロの奴はホクホクだな」

教会は聖女も崇拝対象としているから、信徒が増えてお布施も増える……という図式らしい。

拝金主義的なところのあるバロ司教の顔を思い出して、オデットは深く頷いた。

「三百年前の聖女様と同じように、今回の聖女様も異世界からいらっしゃったのかしら。お会いしてみたいです」

オデットが微笑んでそう言うと、カチャッと大きな音がした。ジェラールがカップをソーサーに戻そうとしてぶつけたようだ。

中の紅茶がこぼれていないのでなにも問題はないが、食事の所作が貴族的に優雅で美しい彼が一体どうしたのかとオデットは疑問に思った。

（今日は口数も少ないし、やっぱり相当お疲れなのね……）

心配して声をかけようとしたが、その前にルネに指摘される。

「オデット、いつまでも立っていないで椅子を持ってきたら？」

「あ、そうね」

リリアに席を譲ったため椅子が足りず、オデットはカウンター裏からスツールを持ってこようとした。しかしジェラールに呼び止められる。

「ここに座って。俺はもう帰らないといけない」

「えっ」

着いてから十五分ほどしか経っていないし、ジェラールのカップには半分以上紅茶が残っている。もう少し休んでからの方がいいと思ったけれど、政務が忙しい彼を引き留めることはできない。

「お忙しいのに会いに来てくださってありがとうございます。お疲れの時は無理なさらないでください」

ジェラールの右手を両手で握りしめ、オデットは微笑む。

いつもの彼なら笑みを返してくれるのに、なぜかつらそうな目でじっと見つめられた。

かと思ったら、急に目を逸らされる。

(殿下……?)

「また明日」

ジェラールはオデットの手を解くと、足早に店を出ていった。

(なんだろう。この気持ちは……)

胸に広がるのは、冬曇りの空のような不安。

「オデット?」

「あ、はーい」

けれどもすべてが順調なのだからなにも心配いらないと自分に言い聞かせ、賑やかなテーブルに戻った。

＊＊＊

二十時過ぎの晩餐室では、国王と王妃、ジェラールの三人がテーブルに向かっている。

壁には有名画家の風景画が飾られ、天井からはシャンデリアが下がる豪華な設え（しつらえ）で、テーブルは六人掛けだ。

空席三つはすでに他家に嫁いでいるジェラールの姉たちの席である。

重たい空気が流れているのは、この先も使われないであろう空席の寂しさのせいではない。

国王一家に笑顔はなく、気の毒にもメイドたちがビクビクしながら給仕していた。

メイン料理の牛頬肉の赤ワイン煮込みが出された時、これまでなるべく冷静に話していたジェラールが、ついにたまりかねて声を大きくした。

「なんと申されましても、妃はオデット以外に考えられません。一度お認めになったのに、白紙に戻されては困ります。冗談でもやめていただきたい」

「冗談ではないぞ」

「聖女が現れたから妃にしろなどと、ご無体な。私の気持ちはどうでもいいとでも仰るのですか。オデット以外の女性と結婚する気はありませんので、父上も母上もそのおつもりでいてください」

ジェラールが怒りを隠せない声で言うと、王妃がカトラリーを置いて立ち上がった。

「わたくし、今晩は食欲がありませんの。お先に休ませていただきます」

逃げるように晩餐室を出ていった母親に、ジェラールは嘆息する。

生まれた時から教育係が複数人ついて育ったジェラールは、一般的な家庭のような親密な母子関係は築いていない。けれども仲が悪いわけではないため、母として息子に味方してあげたい気持ちはきっとあるだろうが、それと同じくらいに夫に逆らわず平穏に暮らしたいと願っており、王妃はその思いの狭間で苦しくなったのだろう。

(母上には申し訳ないが、俺が折れるわけにいかないんだ)

聖女の名前はサラ。

サラが降臨したのは三日前で、国王はすでに彼女と対面している。

誰が召喚したのかわからないが、三百年前の聖女サヨと同じ世界から来たと、彼女が話したそうだ。

サラが病人や怪我人を次々に治していく姿を目の当たりにした者たちから噂は広まり、新聞記事にもなったことによって、聖女信仰が過熱しそうな予感がする。

それだけならジェラールも聖女降臨を慶事と捉えるのに、昨日、国王から聖女を娶れと命じられたため腹を立てていた。

誰もが知っている童話では、聖女サヨは王太子と結婚する。童話と同じように聖女を妃とすれば国民の忠誠心や支持の声が高まるだろう、というのが理由だそうだ。

まさに青天の霹靂で、ジェラールが承知できるはずはない。

今日のティータイム時のオデットは、純粋な笑みを浮かべて聖女に会ってみたいと話していた。こんな大事になっていると知ればあの笑顔が消えてしまうと、ジェラールは焦燥感に駆られる。

帰り際にオデットが握ってくれた右手を握りしめ、ジェラールは斜向かいに座る父に強い眼差しをぶつけた。

「なにか仰ってください。いえ、なにかではありません。昨日の発言を撤回し、これまで通りオデットとの結婚準備を進めると約束してください」

国王はよく煮込まれた牛肉を口に運び、その柔らかさをゆっくりと堪能している。メイドに注がせた赤ワインも、これで三杯目だ。ジェラールは手をつける気にもなれないというのに、味わう余裕があるのが恨めしい。

ジェラールが眉をひそめたら、メイン料理の皿を空にしてからやっと国王が答えた。

「ログストン伯爵令嬢は親王派の貴族たちを刺激するだけで利益を生まない。どうしても離れがたいと言うなら、公娼(こうしょう)にすればいい」

「は？」

思わず不遜な返しをするほどジェラールは驚き、目を見開いた。

ジェラールの中で父親の存在は偉大で、政務への真摯(しんし)な姿勢は見習うべきと尊敬している。真面目で実直な父の難点といえば、ユーモアのセンスに欠けることくらいしか思いつかない。

そんな父がまさか息子に公娼を勧めるとは思えず、ジェラールはまじまじと国王の顔を見た。

（レオポルド伯父上の件ではオデットの功績を認めたのに、なぜ急に卑(いや)しめるようなことを言う。俺の父親はそんな人間だったのか……？）

対して国王は不気味にも思えるほどの笑みを浮かべて急に張り切る。

「聖女サラの癒しの力は絶大だ。歳は二十でお前との年齢差もちょうどいい。心が洗われるような清廉(せいれん)な美女でもあったぞ。お前も会えばきっと気に入る。なにも問題はない」

「私は容姿に惑わされません。オデットほど可愛い女性がこの世にいるとも思えません。それに十日後にはオデットをお披露目するための晩餐会が開かれます。直前での中止は、それこそ王家の威信に関わるのではありませんか？」

「招待状には目的を書いていないだろう。ならば聖女降臨を祝うための晩餐会にすればよい。聖女を招くつもりで、すでにインペラ宰相には話している」

晩餐会の目的を勝手に変えるとは、いくら国王とはいえ横暴すぎる。

「父上！」

ジェラールが拳をテーブルに叩きつけると、国王がスッと笑みを消した。

「お前は聖女を娶れ。これは国王命令だ。ついては明日、聖女に引き合わせるゆえ外での公務は中止し――」

話の途中だが、ジェラールはたまらず席を立って晩餐室を出た。

（誰が会うか）

腹立たしさを抱え、長い廊下を執務室に向けて歩いていると、会いたくない者とばったり鉢合わせてしまった。インペラ宰相だ。

国王の右腕の彼には王城内に専用の執務室が用意されていて、議会が開催される繁忙期には泊まることもある。けれども今は特に急ぎの政務はないはずで、なぜこんな遅くまで城内にいるのかとジェラールは眉を寄せた。

「殿下、ごきげんよう。おや？　ご機嫌は悪いようですな。晩餐のメニューにお嫌いな食材でも使われていましたか？」

そんな子供じみた理由で不機嫌になったことはないと、ジェラールはますます眉間の皺を深める。

相手は古参の重鎮で有力貴族。表面上はいい関係を築くべきだと理解していても、今はどうにも怒りを抑えられない。

「父上が聖女を王太子妃にしろと言いだしました。王城晩餐会に聖女を招く話を宰相ともしていると。此度の横暴な国王命令はまさか、あなたの入れ知恵ですか？」

王太子であるジェラールに責められたら他の者なら焦るであろうが、インペラ宰相は肩を揺らして笑った。

「私は聖女降臨の噂を聞いたので、国王陛下に申し上げただけでございます。陛下は大層ご興味を示されまして、それですぐさま聖女サラ様と会えるよう取り計らったのです。晩餐会の話もその時に。入れ知恵など、とんでもございません」

「余計な真似を。あなたが聖女の話をしなければ、こんなことにはならなかったんだ」

「私が話さずとも、いずれ陛下のお耳に入るでしょう。なにしろ世間が聖女降臨に沸いておりますからな。もしや殿下のお怒りは、ログストン伯爵令嬢との婚姻が白紙に戻されたことが原因で？　いやまさかですな。王太子殿下ともあろうお方が、国のためになる聖女より、なんの役にも立たないどころか、貴族たちを怒らせるだけの令嬢を選ぶはずがない」

その言い方にジェラールは奥歯を噛んだ。

オデットをよく思わないのは、インペラ宰相をはじめとした親王派の有力貴族だけだ。レオポルド派を政界に戻せばこれまで独占状態だった利権を分散させねばならず、議会で意見も通しにくくなるだろうから。

しかし異なる考え方の者とも議論を交わす方が、よりよい結論に至るはずである。

『人間ですから相性の悪い相手がいて当たり前だと思うんです。好きだと言ってくれる人ばかりじゃなくていいんじゃないでしょうか』

初めて会った日にオデットからもらったこの言葉は、それまで敵対勢力は排除すべきと考えていたジェラールの政治姿勢を大きく変えるきっかけとなった。

オデットとの結婚は、国のためになるはずだとジェラールは主張しようとした。

けれどもその前に、駆けつけたカディオに止められる。

「急ぎの案件がございますので殿下はお戻りを。インペラ宰相、失礼いたします」

執務室に連れ戻されたジェラールは、休憩用のソファにドサッと腰を下ろした。

舌打ちをしたジェラールの脇に立ったカディオが低い声で注意する。

「インペラ宰相とやり合ってはいけません。殿下に関して懸念があると、話を大きくして国王陛下に報告しかねません。こらえてください」

「お前は誰の味方だ？」

ついカディオを睨んでしまったら、悲しい目をされて我に返る。

「すまない。あたってしまった。焦っているんだ。どうすればいいのか……」

頭を抱えるジェラールを見て、カディオがハーブティーを淹れてくれた。

カモミールをベースに、レモングラスやオレンジピール、蜂蜜を加えたもので、ひと口飲んだら怒りや焦りが少しだけ和らいだ。

「ありがとう」

ジェラールが落ち着いたのを見計らい、カディオが話しだす。

「殿下とオデット嬢のご結婚話が出たところでの聖女降臨。そして国王陛下の急な方針転換。レオポルド派の貴族を政界に呼び戻す話はどこへ行ってしまったのでしょうか」

カップの水面に視線を留めていたジェラールが、顔を上げてカディオを見た。

「なにか知っているのか？」

「疑問点を整理しただけです。私にはオデット嬢のような千里眼はありませんので。ただ国王陛下のお人柄が変わってしまったことは、おかしいと強く感じます。それと聖女サラ様をお見かけした時に――」

一昨日、国王に会うために聖女サラが登城した。

ジェラールは公務で外出していたが、カディオは廊下でサラを見かけたという。

腰まである波打つ髪は真っ黒で目立っていたそうだ。

「童話の聖女サヨは黒髪です。サヨと同じ世界からやってきたサラ様も同じ色の髪。ですが目鼻立ちに珍しさは感じませんでした。異世界がどのようなものかわかりませんので、聖女サラ様が偽者だと申しているわけではございません。気になったのはインペラ宰相がやけに馴れ馴れしかった点です」

インペラ宰相は謁見室前の廊下でサラの肩を抱くようにして話しかけていて、サラは嫌がることなく頷いていたという。カディオが通りかかると、インペラ宰相が急にサラから体を離したのも気になったそうだ。

ジェラールは身を乗り出すようにカディオの話を聞き、さまざまな可能性を瞬時に吟味する。そして数秒後には、ひとつの結論に辿りついた。

（なるほどそういうことか。父上は宗教を妄信する性格ではないのに、急に聖女を手

に入れようとするからおかしいと思ったんだ。だが確証を得るにはパズルのピースが足りない。オデットの協力も必要だな）

急にすっきりした顔でハーブティーを飲むジェラールに、カディオが微笑した。

「なにかおわかりになったのですね？」

「ああ。カディオが近侍でよかった。感謝する」

「恐れ多いことでございます。それで私にもまだ教えてくださらないのですか？」

「いや、お前だけには話すよ。調べてもらいたいこともある。聖女サラはおそらく――」

推測を打ち明けるジェラールの口の端が、悪巧みを楽しむかのようにニヤリとつり上がった。

＊＊＊

翌日は冬晴れの空が広がり、いくらか暖かい。

遠くの教会から十四時を知らせる鐘の音が聞こえる中、ベージュのシンプルなコートを着たオデットはカルダタンへの道のりをのんびりと歩いている。

今はブルノにお使いを頼まれて郵便局に行った帰りだ。

「いいお天気でよかったわ」

晴れの日は心が弾むが、雪が降っていても暖かな室内にいると幸福感を味わえるので、それも好きである。

今日のティータイムにルネが持ってきてくれる菓子はなんだろうとのんきに考えつつカルダタンまで戻ったら、店先に人垣ができていた。

（なにかしら。カルダタンはセールをやっていないけど……）

一気に客が押し寄せるような店ではないので、オデットは人垣の後ろで目を瞬かせている。すると前に立つ男性ふたりの会話が聞こえた。

「なんと神々しいお姿だ。絵本で読んだ通りの黒髪でおまけに美人。俺にもお声をかけてくださらないか」

「話したいなら怪我をすればいい。癒しの力で治してもらえるぞ。そこの屋根から飛び降りろよ」

「おいおい、まだ死にたくないぞ。勘弁してくれ」

（黒髪で癒しの力って……）

どうやら集まっている人々は、店内にいる客を覗いているらしい。

それが誰かにオデットが気づくと同時に、店内からルネに呼ばれる。

「ちょっとだけ見えてるそのカチューシャはオデットね？　早く早く。店に入って」

「うん、でもどうやって入ればいいのか……」

「ちょっとあんたたち、邪魔よ。客じゃない人は帰って。営業妨害！」

ルネに追い払われて見物人は半分に減り、オデットはなんとか店内に戻ることができた。

「ブルノさん、ただいま帰りました」

三人の客がこちらに背を向けて立ち、カウンター内にいるブルノと向かい合っている。

この国では初めて見る真っ黒な長い髪の女性と、王城騎士の青年ふたりだ。

広くはない店内なので、オデットのすぐ目の前に騎士の背中があり、振り返った騎士が怪しい者を見るような厳しい視線を向けるので、オデットは首をすくめる。

「わ、私は従業員です。いらっしゃいませ……」

するとルネに横から腕を引っ張られ、つまずくようにテーブル側に移動した。

「オデット、聖女様がいらっしゃったのよ。あんたに会いに来たんだって。すごいじゃない！」

「私に？」

オデットが驚くと、聖女サラがゆっくりと振り向きこちらに歩み寄った。

澄んだ夏空のような水色の瞳で、肌は透き通るように白く、スラリとした長身の美人である。

襟と袖にファーのついた真っ白なコートを着て、ハンドバッグとブーツも白。手袋はなぜか冬用ではなくレースだが、その違和感も含めてまさしく聖女と言いたくなるような清らかで謎めいた雰囲気を醸していた。

緊張するオデットにサラがにっこりと優雅に微笑む。

「あなたがオデットさんですね。私はサラと申します。突然お伺いしてすみません。驚かせてしまいましたね」

「お気遣いありがとうございます。あの、私に会いにいらしたというのは？」

サラはハンドバッグの中からビロード張りの小箱を取り出した。彼女が蓋を開けると入っていたのは五センチほどの直径の、ダイヤモンドの原石だった。

たちまちオデットの目が輝く。

「なんて大きな原石！　拝見してもよろしいですか？」

「もちろんです」

カウンター内に移動したオデットは、十倍ルーペで石の内部を確認する。

「インクルージョンは目立つものが三つ。きっとカット職人は大きなものをふたつ、ここから切り出すと思います。一番大きなダイヤは八カラットくらいになるでしょうか。カットして磨かないと鑑定はできませんけど、指輪に加工してもネックレスに仕立てても豪華で素敵なジュエリーになるのは間違いありません」

ブルノも隣でいい原石だと感心している。

「聖女様は、これをお売りにいらしたのですか？」

そう尋ねたブルノに聖女は首を横に振り、にっこりとした。

「原石は国王陛下に賜りました。婚約指輪用にと。石によからぬ想いがついていたら困るので、オデットさんに鑑定してもらうといいと仰ったのです」

「そうなんですか！」

国王のアクアマリンの指輪を鑑定したのは、ひと月ほど前になる。

オデットの不思議な鑑定力を信じ、頼ってくれたのが嬉しかった。

「大丈夫です。この原石には誰の想いも感じません。まっさらな石から作られたご婚約指輪に、ぜひサラ様のお幸せな気持ちをしみ込ませてください」

サラがこの世界に降り立ってまだ日が浅いのに、良縁に恵まれたようだ。

オデットにはそれも嬉しく、隣ではブルノも目尻の皺を深めて微笑んでいる。

「ご婚約おめでとうございます。それでお相手は……いや、失礼。詮索すべきではありませんでした。年寄りの独り言だと聞き流してください」

頭をかいたブルノをオデットがフフと笑う。

和やかな空気が流れる中、サラが口元の笑みを強めた。

「ありがとうございます。王太子殿下は紳士的で素敵な方。この世界に呼ばれた意味は、ジェラール様と結ばれることにあったのだと感じているんです」

「え……？」

オデットは笑みを浮かべたまま固まった。頭をハンマーで殴られたような強いショックを受け、思考が停止する。

代わってブルノが焦り口調で聞き直してくれる。

「失礼ながら、なにかの間違いではありませんか？　王太子殿下はここにいるオデットを妃にすると仰っているんですよ」

するとサラがスッと笑みを消し、挑戦的な視線をオデットにぶつけた。

「ええ。国王陛下より伺いました。そのような話が出たが、取り消したと。王太子妃には私こそ相応しいと仰いましたわ。オデットさんのご実家は敵対勢力で大層貧しいそうですわね。もしあなたが妃となったらジェラール様が恥をおかきになります。あなたも後ろ指をさされるかもしれません。白紙に戻ってよかったですね」

(白紙に……。私は殿下と別れなければいけないの?)

やっと言われている意味を理解したら、悲しみが押し寄せて足がふらつき、ブルノに支えられた。

サラはオデットの手から原石を奪うように取り上げると、勝ち誇った笑みを浮かべる。

「実はロイヤルワラントのジュエリー店に先に原石を見てもらったんです。オデットさんが言うように八カラットほどの大きな石を切り出せるそうです。婚約指輪としてこの指に飾られるのがとても楽しみ。できあがったら見せに参りますわね」

オデットの目が潤んだら、ルネの大声が響いた。

「聖女だかなんだか知らないけど、オデットを傷つけたら許さないわよ!」

サラに向けて突進するルネは、騎士に腕を掴まれ捻り上げられた。痛そうに顔をしかめても、オデットのために喚いてくれる。

「言っとくけど、王太子殿下は毎日会いに来るほどオデットに夢中なのよ。殿下があんたなんかを選ぶわけないでしょ!」

「おい娘、聖女様に無礼を働くな。口を慎め」

「無礼なのはそっちでしょ。宝石を見せびらかしに来るなんて、この性悪女が。さっさと出ていきなさい！」

「黙らんと連行するぞ」

ハッと我に返ったオデットは、慌ててルネを止めようとカウンターを出た。

するとブルノが低い声を響かせる。

「ここは私の店で、店内での主権は私にあります。聖女様、お引き取りを。大事な仲間を傷つける者はお客様と認めません。二度とお越しくださいませんように」

普段は穏やかなブルノが明らかに怒っていた。

サラは謝ろうとしないものの、年配の男性には逆らえないのか素直にドアへ向かう。

「騎士様、参りましょう。今日はジェラール様とのお茶の席を設けると、国王陛下に言われております。そろそろお城へ向かわないといけません」

カランコロンとドアベルを鳴らし寒空の下に出ていく三人を、ルネが鼻の付け根に皺を寄せて睨む。

「おじさん、塩まいといて。聖女があんな嫌な女だと思わなかった。がっかりよ」

「まくほどの塩はうちにないな」

「じゃあ取ってくる。オデット、泣く必要ないからね。あんなの嘘っぱち。ジェイさんに聞いてみたらすぐにわかるわよ」

野次馬たちはサラの後についていったので、店の前には静けさが戻っている。ルネが憤慨して出ていったら、オデットは足元を見つめて不安と向き合った。

(私も嘘だと思いたいけど……)

あのダイヤモンドの原石を加工してジュエリーに仕立てれば、おそらく億の値がつくだろう。それほどの原石を簡単にあげてしまえるほど富のある貴族は、王族くらいではないだろうか。サラの護衛に王城騎士がついているのも、国王が聖女を王族に迎えようとしている証拠のような気がした。

加えて、昨日のジェラールの態度。ぼんやりと上の空で疲れているようだった。

聖女の記事に皆で盛り上がっていたら急に帰ってしまったのも、サラとの結婚話が原因なのではないだろうか。

(国王陛下がサラ様を王太子妃にと考えているのは本当かもしれないわ。でも殿下は、そうじゃない……)

没落貴族令嬢なので自分こそ王太子妃に相応しいと胸を張れないけれど、ジェラールに愛されている自信はある。

彼がいつも出し惜しみせず豊かな愛情を示してくれるので、信じられるのだ。

オデットが考え込んでいると、ブルノに心配そうに顔を覗き込まれた。

それでオデットは気丈に微笑んでみせる。

「私は大丈夫です。ルネの言うように殿下に伺えばわかることですから。殿下のお話を聞いてから考えます。もうすぐティータイムの時間ですね。きっと今日もいらっしゃると……あっ」

サラがこれからジェラールとティータイムを過ごす話をしていたと思い出した。会えないと思ったら、急に不安が膨らみ泣きたくなる。

(この心細さに、明日まで耐えられるかしら……)

ブルノにこれ以上の心配をかけたくないので、オデットは爪先をドアへ向けた。

「すみません。もう一度、郵便局に行ってきます。実家宛ての手紙を出すのを忘れていました。私って駄目ですね」

返事を待たずに店を出て、ルネと鉢合わせないようにコロンベーカリーと反対側へ走る。

涙があふれて頬を伝い、拭おうとしたら、ドンと誰かにぶつかってしまった。

「すみませ——」

謝ろうとすると、ハハッと笑われ抱きしめられる。

「オデット、捕まえた。そんなに急いでどこに行くの？」

「ジェイさん、どうしてここに⁉」

「どうしてって、もちろんオデットに会いに来たんだよ」

お忍びの格好のジェラールは、オデットがなぜ驚いているのか不思議に思ったようで、抱擁を解いて顔を覗き込む。

目尻の少し垂れた翡翠色の瞳ははっきりと露に濡れており、ジェラールの眉間にたちまち皺が寄った。

「なにがあった？」

「あの、聖女サラ様が……これからお城で殿下とお茶を飲むと言って帰られたんですけど、違うんですか？」

「カルダタンに来たのか」

しまったと言いたげな顔のジェラールに、オデットはポロポロと涙をこぼしながら不安を打ち明ける。

「サラ様のお話はどこまで本当なんですか？」

その質問でオデットがなにを言われたのか、ジェラールは理解したようだ。

強く抱きしめ、申し訳なさそうに言う。

「不安にさせてすまなかった。聖女を俺の妃に、という話を聞かされたんだね？」

「はい。私との結婚話は白紙になったと仰っていました」

「それは父上が勝手に言いだしたことだ。俺が愛しているのはオデットだけ。必ず君を妃にすると誓う。信じてくれ」

その言葉と頼もしい腕に守られている安心感で、オデットの涙は引いて笑みが戻る。

「信じます。泣いてしまってごめんなさい」

「いや、俺が悪い。昨日のうちに状況を説明しておくべきだった。それを話しながら行こう」

「どこにですか？」

「リバルベスタ教会だ」

途中で辻馬車を拾い、二十分ほどかけてリバルベスタ教会に着いたらちょうど、ジェラールが説明を終えた。

実家がレオポルド派の貴族とみなされているオデットとの結婚話が出たところでの聖女降臨。

人が変わったように横暴に聖女を娶れと息子に命じる国王。

ジェラールはそれらに疑問を抱いており、教会を訪ねるのは、『企みを暴くため』だと話してくれた。誰がなにを企んでいるのかなどは教えてくれないが、オデットは教会前の石階段を上りながらホッと頬を緩めた。

（殿下はいつも私を助けてくださる。殿下が大丈夫と言うからには、すべてうまくいくに違いないわ）

ジェラールへの厚い信頼がオデットの胸を弾ませもして、この件で泣くことはもうないと感じていた。

教会の大きな両開きの扉は片方だけ開いており、礼拝に訪れた信者たちで賑わっていた。忙しそうに立ち動いているのはバロ司教の下で働く聖職者で、司教は聖堂内にいないようだ。

バロ司教に用があるとジェラールが言うので、ふたりは関係者用の素朴なドアをノックした。すると以前、カルダタンにバロ司教の使いで来た青年が顔を覗かせた。

「カルダタンのオデットさん、こんにちは。バロ司教とお約束ですか？」

「こんにちは。約束はしていないんですけど、お話ししたいことがあるんです。取り次いでいただけませんか？」

少し待たされてから司教の執務室に案内された。

「どうぞ」

青年聖職者はオデットたちを中に通すと、ドアを閉めて出ていった。

執務室の両サイドの壁には天井まで届く高さの書棚があって、古びた背表紙の本がぎっしりと並んでいた。部屋の中央にはふたり掛けのソファがふたつ、四角いテーブルを挟んで置かれている。

バロ司教は窓辺の机に向かっていたが、書類をトントンとそろえてから立ち上がると、こちらに来てくれた。

「おや、殿下もご一緒でしたか。応接室にお通しせず失礼いたしました。ですが今日もお忍びのご様子で。それでしたら余計なおもてなしをしない方がよろしいでしょうな」

明るく笑う司教にオデットはつられて笑顔になるが、ジェラールは真顔だ。

司教が戸惑いを見せるとジェラールは勝手にソファに腰を下ろし、偉そうに足を組む。

「聖堂内が賑わっていました。聖女降臨で忙しいようですね。礼拝に訪れる信者が増え、財政も潤沢(じゅんたく)なのではありませんか？」

「ま、まあ、違うとは言いませんが……」

批判されていると感じたのか、バロ司教の顔つきが硬くなる。

ハラハラしたオデットは世間話でもして和やかな雰囲気に戻したくなったが、その気持ちをグッとこらえる。

(殿下には思惑があってのこと。それがなにかはわからないけど邪魔したらいけないわ)

「今日はどのようなご用が?」

ジェラールの顔色を窺うようにバロ司教が問う。

「来訪者記録を見せてもらいたい」

「それは難しいのですが……」

礼拝であれその他の用事であれ、この教会は訪れた者に記名を求めている。

守秘義務があるからと断ったバロ司教に、ジェラールはフンと鼻を鳴らした。

「私に知られたくない交友関係があるのですか? 聖女を召喚したのはあなたですね。誰かに大金を積まれたのでしょう。聖女信仰は盛り上がり、お布施が増えたでしょうから旨味だらけだ」

オデットは口元に手をあてて目を丸くする。

疫病が蔓延しているわけでもないのに、どうして聖女が現れたのかとロイが疑問を呈したのを思い出していた。

（まさかバロ司教が、お金のためにそんなことを……しそうな気がするわ）

厳しい面持ちのジェラールと悲しそうなオデットの視線を浴びて、バロ司教が顔の前で片手を振る。

「滅相もございません！　召喚術は秘術とも禁術とも言われております。それこそ幻のようなもの。聖女サラ様を誰が召喚したのかわかりませんが、わしのような一介の司教にはそのように大層な真似はできません」

教会には聖女について記した古い本が五冊伝わっている。国立図書館にも何冊か聖女関連の蔵書があって誰でも閲覧できるけれど、この教会の書物は基本的に貸し出していない。その五冊の中に一冊だけ召喚術が書かれたものがあるそうだが、術式が載っていると思われるページは大昔に黒く塗りつぶされ読めない状態だという。

バロ司教の慌てぶりや主張に不自然さは感じられず、オデットは首を傾げてジェラールを見た。

（嘘をついていないようですけど……）

視線が交わると彼は微かに口角を上げる。

『まぁ見ていなよ』と言われた気がして、オデットは頷いた。

厳しい顔を作り直したジェラールが、さらにバロ司教を追い詰める。

「本当に？　証拠は？」

すると司教が急いで机に戻り、引き出しから紐で閉じた帳簿のようなものを数冊持ってきた。

「ここ数か月の訪問者記録です。どうぞご覧ください。隠したい交友関係などございませんので」

守秘義務があるから見せられないと言っていたバロ司教が、身の潔白を証明するために訪問者記録をテーブルに置いた。

してやったりとばかりに口角を上げたジェラールにオデットは感心する。

(殿下は最初からバロ司教が聖女を召喚したとは思っていなかったのね。記録を差し出させるためにあんなことを言って焦らせるとは驚きよ。私まで騙されたわ)

「少し時間をもらいます。司教もオデットも座ってください」

向かいのソファに腰を下ろした。司教もオデットも座ってください」

打って変わって穏やかな物言いをするジェラールに、バロ司教はホッと息をついて向かいのソファに腰を下ろした。

ジェラールが隣の座面をトントンと指先で叩くので、オデットはそこに座る。

彼の隣に座るのが、いつの間にか自然に思えるようになった。

ジェラールはオデットに微笑んでから訪問者記録を開き、パラパラとページをめくる。本当に頭に入っているのかと疑いたくなるほど速いスピードで確認作業を進め、やがてあるページでピタリと手を止めた。

視線だけを動かして、ジェラールがバロ司教を見る。

「二十日前の日付に、ブノワ・カロジオというサインがあります。たしかオリオン大学の教授ですね。過去に一度、引見した覚えがある。この教会の信徒ですか？」

「カロジオ教授ですか。ご自宅が遠いのでうちには通っておりません。その日、カロジオ教授がいらしたのは礼拝ではなく——」

聖女研究のために図書を借りたいとやってきたそうだ。それならばと五冊すべてを貸して、それは数日で返却された。

「おかしい」

独り言のようなジェラールの感想にオデットは首を傾げ、バロ司教は機嫌を取ろうとしてか無理して同調する。

「言われてみればたしかにおかしい。研究と言うから数か月は借りたいのかと思っていたのに、たった四日で返却されました。一体なにがわかったというんじゃ」

「いえ、疑問なのはもっと根本的なことです。オリオン大学には宗教学や民俗学、歴史学など聖女に関わりそうな学科がありません。理系大学ですから。カロジオ教授の専門は物理学です」

人を疑わずのほほんと生きてきたオデットでも、カロジオ教授が嘘をついていると思った。けれどもなんの目的があって嘘をついて本を借りたのかはわからない。

バロ司教も同じようで、腕組みして唸っている。

「どういうことじゃ……」

ひとりだけ正解に辿りついているような顔のジェラールが、ヒントだけ与えてくれる。

「オリオンは私設大学。経営しているのは誰か知っていますか？」

「たしかインペラ公爵の弟君。宰相ですな」

（インペラ宰相。私は会ったことがない方ね）

それがなにかと司教は聞きたそうだが、ジェラールが話を変えてしまう。

「ところでバロ司教は聖女サラに会いましたか？」

「ええ。この教会には聖女の水晶玉や書物が伝わっておりますゆえ、ご降臨されて間もなくサラ様の方からお越しくださいました。古事の通り黒髪の美しい乙女でした」

崇拝対象である聖女に会えてよほど感激したのだろう。バロ司教はサラを思い出してうっとりと頬を緩ませる。

「三百年前の聖女サヨ様と同じ世界からやってきたと仰っておいででしたな。つまりサラ様もニホン人ということじゃ」

「ニホン？　それが異世界の国名ですか」

国名は童話の中で省かれているので、知っている者は少ない。ジェラールも初めて聞いたようだが、オデットは少々驚きつつ素朴に返す。

「サラ様も日本人なんですか。私の前世と同じですね」

オデットを牽制しにやってきたサラに、急に親近感が湧く。

けれども引っかかる点がひとつだけあった。

（私と違ってサラ様は日本で暮らしていたところを、この世界に呼ばれて肉体ごと来たのよね。でも日本人らしい特徴は髪色くらいだったわ。ハーフなのかしら？）

スラリと長身で色が白く、水色の瞳のサラを思い出していたら、ジェラールに手を握られた。

「オデットは前世の記憶があるのか。それが異世界のニホン人？」

いつも余裕たっぷりのジェラールが目を見開いているので、オデットは戸惑った。

嘘だと疑わないのは、オデットが裏表のない正直者だと知っているからだろう。

（そんなに驚くことかしら？）

「オデットは不思議な娘だと思っておったが、なるほどな」

バロ司教は納得して頷き、ジェラールはクックとおかしそうに笑う。

「もっと早く教えてよ」

「あ、そうですよね。ごめんなさい」

小さい頃、前世について両親に話したら、頭がどうかしたのかと心配されて医者を呼ばれたことがある。それ以来、信じてもらえないだろうという考えが先に立ち、誰にも話さなかったのだ。

そのような心配をせずにサラリと打ち明けられたのは、ジェラールなら疑ったりしないと信頼しているからだろう。

「私は前世でも宝石を買い取る仕事をしていたんです。生まれ変わっても宝石に縁のある生活ができて毎日楽しいです」

フフと笑って簡単に前世を話せば、ジェラールが嬉しそうに感嘆した。

「前世は異世界の宝石鑑定士か。ミステリアスな君の謎がひとつ解けた気分だよ。さすがは俺の婚約者だ」

額と頬に口づけられてオデットが真っ赤になっていると、向かいのソファからコホンと咳払いが聞こえた。

「ブルノからおふたりの仲は聞いておりますが、ここは教会ですのでご勘弁を」

(は、恥ずかしい……)

オデットは火照る頬を隠すように両手で挟み、ジェラールは笑って立ち上がった。

「バロ司教、私たちはこれで帰ります。お時間を取らせてすみませんでした。失礼な言動もお許しを。あなたの崇高な宗教精神と職務への真摯な姿勢には常々敬服しております」

見送りは不要と告げ、ジェラールはオデットを連れて退出した。

教会から外へ出ると、雪がチラチラ降っている。吐く息は白く、オデットの手はすぐに冷たくなり、手袋を持ってくればよかったと後悔した。

するとジェラールがオデットの手を取り、繋いだ手を自分のコートのポケットに入れる。

「こうすれば暖かいよ。もう雪に喜ぶような子供ではないが、オデットの温もりを感じられるから冬を歓迎しよう。こんな風に思わせてくれる君が誰より愛しい」

繋いだ手は頼もしく、眼差しは優しく少し艶めいて、オデットの鼓動がたちまち高まった。

（手袋を忘れてきてよかった……）

「私も、殿下が愛しいです」

恥ずかしいので小声で伝えたら、ジェラールがフッと笑む。

「ふたりきりの時はジェラールと呼んで。もっとオデットとの距離を縮めたい」

「は、はい」

照れくさいけれど、彼が望むならと勇気を出して、オデットは初めてその名を口にする。

「ジェラール様」

たちまち顔に熱が集中し、頬にあたる雪が一瞬で蒸発するのではないかと思うほどである。

「もう一度」

「ジェラール、様……」

「そんなに照れないでよ。キスを我慢するのが大変だ」

クスクスと笑っているので冗談かもしれないが、瞳は蠱惑的に弧を描いてオデットのときめきを加速させる。

このままではのぼせてしまいそうでポケットから手を引き抜こうとしたが、強く握られて阻止された。

「離さないよ。絶対に」

今度は囁かれた耳が熱くなる。

(逃がしてくれないのが嬉しいなんて……)

どこまでも高まる動悸と恋心。いつもは欲のないオデットが、誰に反対されてもこの恋を実らせたいと冬空に願うのだった。


ジェラールに連れられリバルベスタ教会を訪れてから一週間が経ち、今日は王城晩餐会当日である。

外は吹雪いて月も星も見えないが、城内の大邸宅は暖かくシャンデリアが煌々と輝いて眩しいほどだ。

オデットはサーモンピンクの夜会用のドレスに銀色のパンプスを履き、結い上げた髪はピンクの薔薇の生花で飾っている。すべてジェラールが用意してくれたもので、首元にも以前彼がプレゼントしてくれたダイヤのネックレスが輝いている。

肩が露出したデザインの夜会服は初めて着るので、オデットは落ち着かない。

けれども周囲にいる貴婦人たちのドレスは胸が見えそうなほどカットが深かったり、

背中まで肌を晒していたりするので、オデットの装いは露出が控えめな方だろう。

オデットの隣でエスコートしてくれるのはジェラールだ。

彼のライトグレーの夜会服は襟や袖の折り返しに銀刺繍が豪華にあしらわれ、襟のジャボにはブリリアントカットを施したグリーンダイヤのブローチが留められている。

グリーンダイヤはカラーダイヤの中で最も希少価値が高く、オデットの鑑定欲求を刺激したのは言うまでもない。

それに加えて華やかに着飾ったジェラールは絵のように麗しく、王族然とした優雅で堂々とした振る舞いにオデットの胸は高鳴りっぱなしだ。

(ドキドキに耐えられなくなりそうだから、ジェラール様の方をあまり見ないようにしよう)

ふたりがいるのは晩餐会会場ではなく、隣接された待機室だ。

早く着いた招待客たちは、晩餐会の開始時間までここでシャンパンやフルーツを口にしたり、他の貴族と話をしたりと自由に過ごす。

待機室は三部屋あり、ここには百人ほどの貴族がいるようだ。ソファも置いているが、グラス片手に立ち話をしている者が多い。

オデットはジェラールについて挨拶回りに忙しい。

「バラデュール伯爵、ようこそお越しくださいました」

ジェラールが声をかけたのは恰幅のいい中年貴族で、夫人を伴っている。

「ご夫人もようこそ。昨秋の園遊会以来ですね」

夫妻はジェラールに会釈してから笑顔で答える。

「王太子殿下からお声をかけていただけるとは恐縮でございます。園遊会以来、そうでございますな。殿下のご活躍は遠方の我が領内にまで届きますので、ご無沙汰していたとは気づきませんでした」

「お会いできるのを指折り数えて楽しみにしておりましたわ。殿下はお変わりなく美しくいらっしゃって、年頃のお嬢さんたちは心を奪われることでしょう」

ジェラールを褒めたたえた夫妻の視線が、半歩下がった位置に緊張して立つオデットに向けられた。

「そちらのお嬢様は……」

この部屋に入ってから挨拶は十人目となるが、このような場に不慣れどころか初めてのオデットは汗ばむ手を握りしめる。

「こちらはログストン伯爵家のご息女です。ぜひお見知りおきを」

「はじめまして。オデットと申します。どうぞよろしくお願いします」

スカートをつまんで腰を落とし、淑女に見えるよう気をつけて挨拶したオデットに、バラデュール伯爵夫妻は眉を寄せた。

「ログストン伯爵といえば、たしか……」

レオポルド派の貴族がなぜ招待されていて、しかも王太子にエスコートされているのかと言いたげに見える。これまで挨拶した貴族たちからも似たような反応をされており、オデットは貴族社会の洗礼を浴びた気分で萎縮した。

思わず首をすくめたら、心配いらないというようにジェラールがオデットの肩を抱いた。

「オデットに尋ねたいことがありましたら遠慮なく言ってください。代わりに私が答えます」

「い、いえ、なにも……」

伯爵は焦って笑みを作り、夫人は取り繕うようにオホホと笑う。

「お美しいお嬢様ですこと。社交界に慣れていらっしゃらないのかしら。緊張なさっているご様子が可愛らしいわ」

「そうでしょう。オデットはこれまで表舞台に上がらなかった分、慎ましく清らかな心を持っています。しかし中には受け入れられない方もいるでしょう。実に嘆かわしいことです。バラデュール伯爵ほどの方はまさか、か弱い女性を標的にするような真似はしないと思いますが」

意味ありげな視線を向けられて、バラデュール伯爵夫妻は笑みを強める。

「もちろんでございますとも」

「オデットさん、心配なさらないで。私たちはあなたの味方です」

「あ、ありがとうございます」

批判を封じるどころか味方にしてしまうジェラールの話術に、オデットは感心するばかりだ。

（この前、バロ司教にお会いした時もそうだったわ。ジェラール様は望む方に会話を誘導するのがお上手なのね）

しかしジェラールでも余裕を持って話せない人はいる。

「ジェラール」

後ろから低い声で呼びかけられ、ふたりが振り向くと、国王が険しい面持ちで立っていた。

「国王陛下、あの、本日はお招きくださいましてありがとうございます」

挨拶の言葉は何度も練習してきたからなんとか口にできたオデットだが、強い緊張に襲われて冷や汗が背中を伝った。

国王の厳しい視線にはオデットを排除したい気持ちが表れていて、怖くも感じる。

「招いてなどいない。その娘の招待は取り消せと言っただろう」

国王がジロリとオデットを睨むので、ジェラールが背にかばってくれた。

「父上、この晩餐会のホストは私です。招待客の選定から席順まで、決定権は私にあります。オデットを皆さんに紹介しなければならないので、招待は取り消せません」

「まだそのようなことを言っているのか。指示に従わねば中止にするぞ」

「そう仰られると思いましたので、聖女降臨を祝うという目的はすでに挨拶を交わした方々には話しています。それでも中止になさいますか？」

国王が唸るように黙った。

中止にすれば、国王は聖女を歓迎していないのかと思われることだろう。

思い通りにはさせないとばかりにジェラールは不敵な笑みを浮かべているが余裕はなく、父親の無言の圧に耐えているようにも見える。

「まぁよい。この催しの後には聖女サラとの話を進めるからな。それは決定事項だ」

国王は踵を返してドアを出ていき、貴族たちもぞろぞろと続く。

時刻は二十時になり、王城の使用人が晩餐会会場へと招待客を誘導していた。

オデットを連れて壁際に寄ったジェラールは、額ににじんだ汗を拭いて息をつく。

「いつもの父上ならこんな物言いはしない。明らかにおかしい。それで、どうだった？」

王城に到着した時にジェラールに頼まれたことがあった。

『オデットの鑑定力で父上を見てほしい』

急に人が変わったように聖女を娶れなどと横暴な命令を下した国王にジェラールは疑問を感じていて、装飾品になにかあるのではないかと思っているそうだ。

オデットは真顔で頷く。

「はい。呪術の気配を感じました。右袖のターコイズのカフスボタンです」

「やはりそうか。ありがとう。それなら父上と正面対決せずに済みそうで安心した」

「あの、どんな呪いかまではわからないです。触ってみればわかると思うんですけど」

最近は感度が上がっているようだが、呪いを含め宝石に移った想いを触れずに読み取るほどの力はない。しかしオデットを邪魔者扱いしている今の国王には、カフスボタンを見せてほしいと言っても聞いてくれないだろう。

オデットは困り顔をしたが、ジェラールは笑みを浮かべて首を横に振る。

「その必要はないよ。呪いをかけられているのか、いないのかが知りたかった。それによって闘い方を変える必要があるから。呪いをかけられているなら、その目的はひとつしかない」

オデットはすべてを教えてもらいたかったが、ジェラールに腰に腕を回されてドアへといざなわれる。

開始時間になったので、会場ホールへと移動した。

大勢の貴族たちを招いての王城晩餐会は年に一、二回開かれており、天井が高く広々とした横長のこのホールはそのためだけにあるらしい。

三百人ほどが向かい合わせに着席できる長テーブルが二列あって、白いテーブルクロスは一点のシミも皺もなく、フルコース用の銀のカトラリーとプレートが整然と並ぶ様は圧巻であった。豪華なシャンデリアの明かりは控えめで、テーブル上の燭台の炎が効果的に美しく目に映る。

国王の席に近い側には半円のステージがあり、グランドピアノが一台置かれていた。

桁外れの贅をこらした設えに、オデットは息をのむ。

(ジェラール様と結婚したら私もこのお屋敷で暮らすのよね。豪華すぎて落ち着かないわ。いつかは慣れるものかしら。その心配をする前に、結婚を許してもらわなければいけないけど……)

ジェラールはオデットが不安にならないように、大丈夫だと何度も言ってくれた。その言葉を信じて心を強く保とうと努力していても、この状況ではどうしても弱気になる。

挨拶をした貴族たちからすでにオデットの話が広まっているようで、まだ言葉を交わしていない者たちも入場したオデットに眉をひそめていた。

ひそひそと陰口を叩いている様子もわかり、オデットが足をすくませたら、優しく歩みをリードしてくれるジェラールがそっと耳打ちする。

「この晩餐会が終わる頃には、皆がオデットを温かく受け入れていることだろう。大丈夫だから、オデットは胸を張って食事を楽しんで」

「はい」

温順なオデットは素直に励まされ、気を緩めることができた。

招待客たちがジェラールの決めた席順で着席を終えた。

男女交互に座る決まりがあるらしくオデットの左隣はジェラールで、正面と右隣には温厚そうな初老の男性貴族がいた。

ジェラールの左側二席は空席で、そこにはこれから登場するサラとインペラ宰相が座ると聞いた。国王はオデットから十数席離れており、会話することはなさそうなので、その点はホッとしていた。

「挨拶してくるから待っていて」

ジェラールはオデットにウインクして立ち上がると、ステージに登壇した。

ざわざわしていたホールが一瞬で静かになり、彼の堂々とした美声が響く。

「皆さん、王城晩餐会にようこそお越しくださいました。日頃からの王家へのご支持に感謝しています。今宵は心ゆくまで食事と語らいをお楽しみください。招待状ではご案内していませんでしたが、今日は聖女サラをお迎えしての晩餐会となっております。彼女の癒しの力はすでに国中の噂で皆様も並々ならぬご興味をお持ちでしょう。私も同じです」

まるで聖女を歓迎しているようなジェラールの口振りに、国王は満足げに頷いていた。

オデットはジェラールを信じてはいるものの、カルダタンにやってきたサラを思い出して眉尻を下げた。

(美しい方だったわ。治療ができる素敵な力を持っていて、国王陛下だけでなく貴族の皆さんもきっと、サラ様が王太子妃に相応しいと思うわよね)

「では早速お迎えしましょう」

ジェラールが声をかけると入場口の両開きの扉が開けられ、インペラ宰相にエスコートされたサラが入ってきた。「オオッ」とどよめきの声があがる。

スタイルのいいサラの体にフィットした夜会服とパンプスは今日も白一色で、豊かに波打つ黒髪が際立っている。髪飾りはオデットと色違いの白い薔薇の生花だ。

「なんとお美しい。神話に登場するヴィーナスのようですな」

「まぁ、頭痛がスッと引きましたわ。お姿を拝見しただけですのに。素晴らしいお力ね」

彼女を褒めたたえる声が周囲から聞こえ、得意げな顔のサラとインペラ宰相がステージに上がると拍手が沸いた。

「王太子殿下、お招きくださいましてありがとうございます。先日のお茶の席ではご都合が合わず残念でしたわ。その代わりに国王陛下がジェラール様のお話を聞かせてくださいましたの。初めてお会いする気がしないのはそのせいですわね。想像通りの素敵な——」

「サラさん、ようこそ。私への挨拶はほどほどにしましょう。皆さんをお待たせしていますので。それと、あなたに名前で呼ぶことを許可した覚えはありません。気をつけてください」

挨拶を遮られた上に注意されて、サラの笑みが消えた。

「えっ……」

国王がサラを王太子妃にしたがっているので、ジェラールからも丁寧に扱われるものと思っていたのかもしれない。

紳士的な笑みをたたえてはいるが、怒らせてしまったかとサラが顔色を青くしたら、インペラ宰相が笑った。

「異世界よりご降臨されて間もないのですから、大目に見ていただきたいものですな。サラ様、殿下は狭量な方ではないのでご安心くだされ」

ジェラールは不愉快さを顔に出さないようこらえており、インペラ宰相を快く思っていないのがオデットにも伝わった。

「インペラ宰相から聖女を皆さんに紹介してください」

「いえいえ、殿下を差し置いて私がでしゃばるわけに参りません。私はエスコートをお引き受けしただけでございます」

「ご謙遜を。誰より詳しいのはインペラ宰相でしょう」

含みのある言い方をしたジェラールに、インペラ宰相は一瞬真顔になった。

けれどもすぐに笑みを取り戻す。

「サラ様が我が屋敷でお過ごしなのをご存じでしたか。ご降臨されて身寄りがなく、それでしたらとお誘いしたのです。仰る通り、ほんの少しだけ詳しいかもしれませんな。では私から紹介させていただきましょう」

バロ司教を訪ねた時に、インペラ宰相の名を聞いたとオデットは思い出していた。たしか聖女の召喚術を記した古い本を研究のためと偽って借りに来た教授がいて、その人が所属する大学を経営しているのがインペラ宰相だと言っていた。

(ジェラール様は怪しんでいらしたのよ。ということはもしかして、聖女を召喚したのはインペラ宰相なのかしら。でも、本のそのページは塗りつぶされて読めないと言っていたし……)

オデットは勘がよくないので正解に辿り着けそうになく、考えているうちに聖女の紹介は終わってしまった。

(あ、日本の話は出たかしら。聞きたかったのに)

壇上の三人が席に着くと、ピアノ演奏が心地よく響く中で優雅な晩餐が始まった。

落ちぶれているとはいえオデットも一応貴族令嬢なので、テーブルマナーは両親に教わっている。フルコースの料理に戸惑うことなくカトラリーを正しく使っているけれど、なかなか食事が進まないのはひと口ごとに感動するからだ。

（このテリーヌ、魚介が何種類も入っていて旨味に溺れそうになるわ。飾り切りされた野菜は可愛くて、かかっている美味しいソースは一体なにで作られているの？　前菜だけで三皿もあるなんて贅沢。田舎の家族とブルノさんやルネ、ロイにも食べさせてあげたい）

「オデット、食事を楽しんでいる？」

ジェラールに優しく声をかけられて、オデットは頬に片手をあてながら正直に答える。

「美味しくてほっぺたが落ちそうです。こんな豪華なお料理は初めて食べます」

「それはよかった。後で王城のシェフたちに伝えておこう。きっと喜ぶ。君がここで暮らすようになれば毎日食べられるよ」

将来に触れるような話をされてオデットが頬を染めたら、邪魔するような笑い声がした。オデットからは三つも離れた席から話しかけてきたのはインペラ宰相だ。

「オデット嬢は前菜の段階で感動しているのですか。ログストン家の状況を思えば無理はありませんな。ほっぺたが落ちそうとは、まったく可愛らしいご発言をする」

インペラ宰相の声は大きく、周囲の貴族たちが同調するように笑うので、恥ずかしくなったオデットはうつむいた。

（美味しいと言ってはいけなかったのかしら。貴族たちとの食事は窮屈ね）

オデットが手を止めてしまうと、ジェラールが「大丈夫だよ」と囁いた。

そしてなぜか左隣に声をかける。

「サラさん」

「は、はい、殿下」

着席してからもジェラールはサラに対して冷たい態度を崩さず、会話らしい会話をしなかったというのに、急に話しかけられてサラは驚いていた。

紳士的に微笑みかけるジェラールになにかを期待して、サラの口角も上がる。

「前菜のお味はいかがでしょう？」

「はい、美味しいです」

「どれくらい？」

「食べたことがないほど美味しいですわ」

誘導尋問に引っかかったサラが「あっ」と口元を押さえたが、もう遅い。

ジェラールが大袈裟なほど爽やかな笑顔を作って周囲に聞こえるように言う。

「あなたも前菜に感動しているのですね。オデット嬢と同じです。それとひとつ、注意させてもらうと、お使いのフォークは前菜用ではありませんよ」

アンダープレートの左右には何本ものカトラリーが並べられており、サラが使ったのは魚料理用のフォークであった。

恥をかいて赤くなるサラを周囲の貴族たちがどっと笑ったが、インペラ宰相が不機嫌そうに咳払いをしたためすぐに静まった。

最初にオデットをおとしめたのは宰相なのに、サラをかばって文句をつける。

「殿下、異世界よりご降臨されたサラ様が、この国のマナーにうとくて当たり前ではございませんか。もう少し優しいお声をかけてあげてください」

「そうですね。サラさん、失礼しました」

ジェラールは言い返さずにすんなりと非を認め、サラに微笑みかける。

サラはホッとしたように笑みを返し、インペラ宰相の機嫌が戻った。

「早くも打ち解けたご様子ですな。おふたりはそういう運命にあるのでしょう。実にお似合いです」

サラを王太子妃にという国王の考えはまだ公にされていないので、驚いた貴族たちがざわざわし始めた。

「それはつまり、聖女サラ様を――」

男性貴族のひとりが確かめようとしたが、すかさずジェラールが話題を変える。

「サラさんは先ほどの紹介でニホンという国から来たと言っていましたね。ぜひどのような世界か聞かせてください。皆さんも興味があるでしょう」

やっと和やかに会話を楽しめそうだと感じたのか、貴族たちは乗り気の様子である。

日本の話が聞きたいオデットも体ごとサラの方に向いて注目した。

インペラ宰相が頷いたら、サラが話しだす。

「ニホンにご興味を持っていただけて嬉しいですわ。ニホンという国は――」

日本人は皆、黒髪でちょんまげという髪形に結っており、〝ヒモノ〟という服に草履という草で編んだ靴を身につけているのだとサラは話した。

「おお、私は知っておりますぞ。三百年前の聖女サヨ様と同じですな」

サラの向かいに座っているのはギブソン伯爵という中年男性で、若かりし頃、国立図書館で聖女に関する文献を読んだことがあるという。そこにサラが話した日本人の特徴と同じ内容が書かれていたと、得意げに皆に教えていた。

「聖女はニホンから召喚された乙女がなれるようですな。サラ様はまごうことなき聖女様だ」

周囲の貴族たちがサラに畏敬の眼差しを注ぐ中、オデットだけは首を傾げている。

「あの……」

オデットが遠慮がちに声をかけると、「なんですか?」とジェラールが大きな声で反応して皆の注目を浴びた。

「ヒモノではなく着物です。日本ではヒモノだと乾物になってしまいます。それと、ちょんまげは日本人全員ではなく、大人の男性しか結っていないと思います」

「え?」

日本についてなぜオデットに指摘されなければいけないのかと言いたげに、サラが綺麗な眉をひそめた。

非難めいた視線を向けられたオデットは、慌てて理由を付け足す。

「私も日本人だったんです。召喚されたサラ様とは違い、前世ですが。同郷なのを嬉しく思っていたんですけど、生まれた時代が違うようですね。サラ様は江戸(えど)時代の方ですか? もっと前でしょうか?」

「エド……?」

サラが困り顔を左隣に向けると、インペラ宰相が険しい面持ちでオデットに注意する。

「今はサラ様がご発言なさっておいでですぞ。前世がニホン人? そのようなでまかせを言って邪魔をするとは、ログストン伯爵は娘のしつけが苦手なようですな」

「す、すみません」

オデットは身を縮こまらせたが、代わりにジェラールが反論してくれる。

「なぜ嘘だと決めつけるのですか。ギブソン伯爵にお尋ねします。あなたがお読みになった文献にはニホン人の特徴についてどのように書かれていましたか？」

「たしか――」

ギブソン伯爵は腕組みをしてしばし考えに沈み、それからポンと手のひらを打った。

「そうそう、聖女サヨ様はキモノという奇妙な服で現れたと書いてありました。召喚される前はエドの城下町で暮らしていたとお話しになったとか。ちょんまげについては、男性の髪形だと説明があったと記憶しています」

「思い出してくださって感謝します。オデット嬢の言った通りですね」

ジェラールが皆に意見を求めるような視線を振ったら、貴族たちは隣同士でヒソヒソと話しだした。

「ログストン家の娘の、前世がニホン人という話はまことのようですな」

「いやはや不思議なこともあるものです。聖女様はなぜお間違えに？　まさか――」

疑われているのを察したサラが慌てて口を開く。

「キモノです。そう言ったつもりだったんですけど言い間違えてしまったようです。

ごめんなさい。オデットさんが言ったように私はエドから参りました。エドにはいろんな祝賀行事があるんですよ。新年はお正月といって餅つきをするんです。五月は——」

五月には雛祭りがあり、鯉のぼりを飾ってお祝いしたとサラは説明し、オデットがまた首を傾げる。

「サラ様、桃の節句と端午の節句が交ざっていますよ。雛祭りは三月三日で雛人形を飾るんです。サラ様のいた日本と私の前世は、時代だけじゃなくて世界そのものが違うのでしょうか？　日本人は髪だけでなく瞳も黒い人が多いんですけど、サラ様は目の色もお顔立ちも日本人らしさがないので不思議に思っていたんです。お名前も、江戸時代の女性には珍しい気がします」

〝サヨ〟という名前に似ているが、〝サラ〟はいささか現代風で江戸時代の女性らしさを感じない。

オデットは純粋に疑問を口にしただけなのだが、サラは青ざめて返事ができずにいる。

料理はスープが終わり、魚料理が出されたところだが、貴族たちはカトラリーを持つのを忘れて戸惑っている。

ギブソン伯爵に確かめるまでもなく、皆が疑わしげにサラを見ていた。

とどめとばかりにジェラールが口を開こうとしたら、インペラ宰相が急にパンと手を叩いてサラにとって不利な話の流れを変えようとする。

「おそらく召喚された時の衝撃で記憶が錯綜しているのではございませんか。サラ様の癒しのお力こそ聖女の証拠。後ほど余興として披露するつもりでしたが、今からご覧に入れましょう」

インペラ宰相は立ち上がり、ドアに向けて手を叩いた。すると扉が片方だけ開いて、おずおずと入場したのは使用人風の青年だ。

彼に気づいた貴族たちは目を見開き、悲鳴をあげる婦人もいた。

オデットも両手で口元を覆い、息をのむ。

その青年の顔は殴られたように腫れていて、右のまぶたは青紫色に変色しているからだ。

(すごく痛そう。一体なにがあったの?)

特に女性たちはショックを受けた顔をしているというのに、インペラ宰相が笑いながら事もなげに言う。

「ご心配なく、あれは我が家の馬番です。余興に協力させるために怪我をさせただけです」

（わざと怪我をさせるなんてひどいわ）

隣を見たらジェラールも顔をしかめている。

雇人にはなにをしてもいいと思っているのか、インペラ宰相はサラを連れて意気揚々とステージに上がった。

ピアノ演奏がやんだので、遠くの席の者たちも余興の始まりに気づいたようだ。

「皆さん、お食事中に失礼いたしますぞ。この者の怪我をサラ様が癒しの力で治してくださいます。ぜひご注目を」

貴族たちが期待の眼差しを向けている。

よく見ようとして立ち上がる者もいる中で、サラが左手を頭上に掲げた。

その手には、不思議な幾何学模様が編み込まれたレースの長手袋がはめられている。

（そういえばあの手袋、カルダタンにいらした時にもはめていたわ。お気に入りなのかしら？）

安直な感想を抱いたオデットだったが、サラが手袋を脱いだ直後にハッとした。

レースの下から現れたのは銀のブレスレットで、ドロップカットが施された水晶が十三個はめこまれていた。

（あのブレスレットから呪術の気配がする。レースの手袋は、聖紙と同じで呪いを封じるためのものね。だから気づかなかったけど、あれはきっと――）

ジェラールの袖を引っ張り耳打ちすると、彼は驚かずに頷いた。

「気づいていらしたんですか？」

「怪しむ点が多々あった。調べれば調べるほど証拠は出てきたが、まだ推測の域を超えていなかったんだ。ありがとう。オデットのおかげで確信できたよ」

（ジェラール様は最初から見抜いていらしたの？）

ずば抜けた推理力にオデットは驚いて感心する。

「今はまだ泳がせておく。聖女様の神通力をとくと拝見することにしよう」

悪巧みをしているようにニヤリと口の端を上げたジェラールが視線をステージに戻したので、オデットもそれに倣う。

サラがブレスレットをはめている左手を、馬番の顔にあてた。

左手が青白くぼんやりと光ったかと思ったら、その光が怪我をした部分を覆うように広がって、スッと引いた後にはすっかり傷が消えていた。

「おおっ！」とホール全体がどよめいて、貴族たちが興奮気味に話しだす。

「なんと素晴らしいお力なの。わたくし、感動して涙が出てきましたわ」

「聖女様がいらっしゃれば病院は不要でしょうな。不老長寿も夢ではない」

「サラ様はお年頃でいらっしゃる。我が息子をご紹介してもいいだろうか？」

「なにを仰いますの？　席順をご覧になればサラ様がどちらへ嫁がれるかおわかりでしょう。王太子妃争いが一気に収束いたしますわね。よかったこと」

讃辞に加え、サラを王太子妃に望む声も聞こえてきて、オデットは胸を痛めた。

ステージのそばに座っている国王が上機嫌で立ち上がり、貴族たちに声をかける。

「聖女の力はまさに神のごとし。諸君、起立して拍手を。癒しの力を見せてくれたサラ、いや、サラ様を皆で褒め称えようではないか」

全員が起立して盛大な拍手が沸く中で、オデットはハラハラしていた。

（サラ様の顔色がすごく悪いわ。大丈夫かしら？）

インペラ宰相と顔を見合わせて微笑んだサラは、誇らしげに胸を張っている。けれども色白の顔はいっそう色を失い、冷や汗もかいているようだ。心なしか呼吸も苦しげで、頑張って立っているように見えた。

かと思ったら、そのほっそりとした体がふらついて倒れそうになる。

「危ない！」

オデットは慌ててステージに駆け上がり、片膝をついたサラの体を支えた。

「サラ様、そのブレスレットをすぐに外してください」

銀のブレスレットに触れた途端、オデットは十三個の水晶にかけられた呪いをはっきりと感じ取った。

これは間違いなく魔具で、癒しの魔力を与える代償は使用者の生命エネルギーだ。

サラがこれまでどれだけの人を治療したのかわからないが、立てなくなるほどにダメージが蓄積しているところをみると、これ以上の使用には体が耐えられないだろう。

「サラ様は、ご自分の命を削って治療していたのですね……」

どうしてそんなことをと聞かなくても、オデットはわかっている。

ブレスレットの水晶は呪いの他に、彼女の想いも伝えてきた。

認めてほしい、愛されたい……という切実な想いを。

オデットの手を振り払ったサラは、ブレスレットを隠すように胸に抱きしめる。

「サラ様、外してください。これ以上は体がもちません」

ブレスレットを預かろうと伸ばしたオデットの手を、インペラ宰相が手荒に掴んで引っ張り立たせた。

「痛っ……」

「聖女様になにをする気だ。お前ほどしつけのなっていない娘は初めて見たぞ！」

「すみません。でもそのブレスレットは駄目なんです。使い続ければサラ様のお命が──」

「黙らんか！」

怒鳴られても必死にブレスレットの危険性を訴えていたら、ついには国王まで激怒させてしまった。

「聖女の崇高な力にケチをつける気か。無礼な娘よ、今すぐ退場しろ。王城への立ち入りも禁ずるゆえ、二度と顔を見せるな！」

（そんな……）

ジェラールの花嫁として認めてもらうどころか登城禁止を言い渡され、オデットは青ざめた。

会場内もオデットへの非難の声であふれているが、それを破ったのはジェラールだ。

颯爽とステージに上がった彼は、オデットを守るように片腕に抱いた。

「勇敢に敵陣に飛び出すとは。まったく危なっかしくて目が離せないな。今後は二十四時間俺のそばに置き、こうして肩を抱いていることにしよう」

このような状況でウインクつきの冗談を言う彼にオデットは戸惑い、国王は怒りの目盛りをさらに引き上げた。

「聖女の邪魔立てをした、その娘をかばうのは許さんぞ。お前は一体どうしてしまったのだ。そこまで判断のできない愚か者なのか？」

ジェラールは哀れむような視線を返し、堂々と主張する。

「どうしてしまったのか、というのはこちらの台詞ですよ、父上。オデットは邪魔したのではなく助けようとしたのです。偽聖女を」

まだ立ち上がれずに座ったままのサラが、ビクッと肩を揺らした。

「殿下が今、偽聖女と仰いましたぞ？」

「自信があるご様子だが、なにか証拠でも掴んでいらっしゃるのか」

再びざわざわと騒がしくなり、インペラ宰相が焦り顔で意見する。

「なにを仰います。王太子殿下もご覧になられたでしょう。怪我を治したサラ様のお力を」

「ええ、見ました。魔具の力で怪我が治ったところを。その反動でサラさんは立っていられないようですが」

「ま、魔具ですと？　なんのことやらわかりませんな」

あくまでしらを切ろうとする宰相にジェラールがため息をつき、サラに片手を差し出す。立たせてあげようという意図でないのは、冷たい視線からわかる。

「ブレスレットを渡しなさい。これは命令だ」

うろたえるサラが助けを求めるように宰相を見たが、視線は合わない。

いくら宰相といえども王太子命令では、口を挟めないようだ。

「早くしなさい」

ジェラールの厳しい促しに、サラは仕方なくブレスレットを外して手渡した。

すると顔色がいくらかよくなる。

自力で立ち上がることもできたので、オデットはホッと胸を撫で下ろした。

(このままブレスレットを使い続けたら、サラさんは無事でいられない。取り返しがつかなくなる前に魔具を手放して、本当によかった……)

ジェラールは忌まわしいものを見るような目をして、ブレスレットをステージ下に投げ捨てた。

大理石の床にあたり金属音が響いたが、壊れてはいないようだ。

心なしか会場に流れる空気が冷たく感じられる。

貴族たちが黙したまま状況を見守る中、ジェラールが上着のポケットから肉料理用のテーブルナイフを取り出した。

なにをするのだろうとオデットが首を傾げたら、袖を捲ったジェラールが突然、自身の左腕を切りつけた。

　血が流れるほどでなくても痛そうな赤い線が腕に引かれ、オデットは悲鳴を漏らした。

「大丈夫だよ」

　ジェラールはオデットに優しく微笑みかけてから、厳しい視線をサラに向けた。

「さあ、この傷を治すんだ。先ほどの哀れな使用人に比べればこの程度はかすり傷。あなたなら、たやすいはずだろう。真の聖女であれば、の話だが」

　サラはとっさにステージ下のブレスレットを見たが、取りに行けばその力で治療していたと認めることになる。

　インペラ宰相は悔しげに唇を噛むだけでなにも言えずにおり、困り果てたサラはついに観念した。

「治せません。癒しの力はブレスレットのもので、私は聖女ではありません。申し訳ございません……」

　消え入りそうな小声の謝罪はステージに近い貴族から隣へ、また隣へと伝言され、驚きの声があちこちからあがった。

　ジェラールが突きつけた左腕を下げたので、オデットは急いでハンカチを取り出して手当てする。

「ありがとう。かすり傷だよ、心配しないで」

袖を下ろして傷を隠したジェラールは嘆息し、幾分厳しさを解いた声でサラに命じる。

「誰に指示されたのか言いなさい」

「私がひとりで考えてやりました。いい暮らしがしたいと思い――」

「嘘を重ねても意味はない。すべて調査済みなのだよ、マリエル・アシュリーさん」

水色の目を大きく見開いたのが、名前も偽っていた証拠だろう。

ステージ上の会話をよく聞こうとホールはまた静かになり、ジェラールが貴族たちに顔を向けた。

「皆さんにも順を追ってご説明しましょう。ことの始まりは私の妃選びでした」

妃候補者が何人も名乗りをあげる中、ジェラールが国王に紹介したのはレオポルド派とみなされているログストン伯爵令嬢、オデットだった。

オデットを妃とすれば、レオポルド派を許したと思われても仕方ないことである。

レオポルド派の貴族が政治の中枢に戻ってきたら、独占状態だった利権を手放さねばならないのではないかと焦った誰かが、聖女を降臨させて王太子に嫁がせ、オデットとの婚姻を阻止しようとした……それがジェラールの推測だ。
（派閥がなくなって皆が仲良く付き合える貴族社会になればいいとのんきに思ってい
たけど、利権を分けたくないと思う貴族がいるのね。私はただ、愛する人と結ばれた
いだけなのに……）
オデットが静かにショックを受けている一方で、ジェラールがオデットを妃に決め
たような発言をするから、貴族たちはまずはそれにどよめく。
反対する声もあがったが、ジェラールは無視して話を先に進めた。
「考えてもみてください。疫病が蔓延しているわけでもないのになぜ今、聖女が降臨
したのかと、子供でも不思議に思うでしょう。国立図書館に行けば、三百年前の聖女
サヨについて誰でも調べることができる。真似るのは簡単だ。私は最初から偽者だと
怪しんでいましたが、その時点では他の仮説を否定できずにいました」
ジェラールは後ろ手を組み、ステージ上をゆっくりと左右に往復する。
謎解きをする彼の声には微かに楽しそうな響きがあり、大勢の貴族を前にしても少
しの焦りも気負いもなく、堂々として実に頼もしい。
このような状況にもかかわらずオデットのときめきは加速し、頬が火照った。
「他の仮説とは、オデット嬢と私との婚姻を阻止したい誰かが秘術を用いて本物の聖

女を降臨させたというものです。それを調べるために私はリバルベスタ教会を訪ねました」

オデットは召喚術が書かれた本や、訪問者記録について思い出していた。

オリオン大学のカロジオ教授が研究のためと言ってバロ司教から文献を借り、召喚術を復活させようと試みた。けれども術式が書かれたページは黒く塗りつぶされて読めないとわかり、それゆえたった数日で本を返却したのではないか、というのがジェラールの考えだ。

「できることなら本物の聖女を降臨させたかったのでしょう。しかしながら不可能だとわかったので、偽聖女を作り出したのです。ちなみにカロジオ教授が黒幕ではありません。彼は失職を恐れて命令に従っただけですから」

カロジオ教授をクビにできるのは、オリオン大学を経営している者だ。それが誰かジェラールが口にせずとも、貴族たちは気づいた様子である。ヒソヒソとした批判があちこちから聞こえ、咎めるような視線が壇上のインペラ宰相に集中した。

内心では焦っているであろうに、宰相は余裕のあるふりをしてワハハと肩を揺らした。

「楽しい物語ですな。それこそおとぎ話のようですぞ。仮説や推測ばかりではありませんか」

ジェラールは真顔でじっと宰相を見据え、直後にクッと馬鹿にしたように笑った。宰相のこめかみに青筋が立ったけれど、ジェラールは気にする様子もなく指を弾いて誰かを呼んだ。

入場したのは近侍のカディオ。スタスタと歩み寄った彼は一礼してステージに上がると、紐で閉じた書類を宰相の目の前で開いた。

「王太子殿下のご命令で作成した調査報告書でございます」

「なんの調査だ」

「インペラ宰相が懇意にされております女性たちについての調査です」

六十二歳のインペラ宰相は妻子も孫もいるが、若い頃から愛人を複数人囲っているそうだ。

「や、やめろ！」

女遊びが盛んな様子を事務的につらつらと述べられて、宰相は慌てていた。

宰相の手が報告書に伸ばされたが、カディオはうまくかわしてページをめくる。

「聖女サラ様、改めマリエル・アシュリーさんの母親はインペラ宰相の愛人のひとりでした。過去形にしたのは、十年ほど縁が切れていたからです」

マリエルの母親は美人と評判の平民の娘であった。インペラ宰相が愛人としたために結婚はできず、今も独身で、娘のマリエルとふたり暮らし。愛人だった頃は宰相から生活費をもらっていたそうだが、マリエルを産んで十年ほど経ち肌の張りを失ったら、用済みとばかりに援助を打ち切られてしまったという。

「結論を申し上げますと、マリエルさんはインペラ宰相と愛人の間に生まれた娘です。縁を切られてからの母子の生活は困窮していました。ですから生活費の援助の再開と引き換えに、偽聖女になることを承諾したのでしょう。マリエルさんの本来の髪は紅茶色。こちらは近隣住民の証言です」

「でたらめを申すな！　それを寄越せ！」

声を荒らげたインペラ宰相はカディオから報告書を奪うと、ビリビリに破り捨てた。これで証拠はなくなったとばかりに高らかに笑う宰相に、カディオが呆れの目を向けて上着の内側からもう一部取り出した。

「百部、作りましたので、どうぞお気の済むまで破ってください」

インペラ宰相は差し出された報告書を掴んでワナワナと震え、貴族たちからは冷ややかな視線が注がれていた。

一方オデットは、先ほどからずっとマリエルを心配している。

（ブレスレットを外したのに、マリエルさんのお顔の色が悪いわ。倒れてしまわないかしら……）

マリエルは追い込まれた父親を苦しそうに見ている。

「お父様、役立たずでごめんなさい……」

自分がうまく立ち回れなかったせいで迷惑をかけたと思っているのだろう。

今にも泣きそうな声で謝罪した娘を、宰相が怒鳴りつけた。

「お父様と呼ぶな！　わしにはお前のような娘はいない！」

その言葉はなによりマリエルを傷つけたようだ。ショックのあまりに両手で顔を覆って泣きだしたマリエルに、オデットは深く同情する。

それと同時に抑えきれない怒りが湧いた。いつもはおっとりと柔和な目元をキッとつり上げたオデットは、インペラ宰相の目の前に立った。

「マリエルさんを否定しないでください。マリエルさんは生活費の援助が欲しくて協力したわけではありません。あなたに娘として愛されたかったから偽聖女になったんです！」

オデットがブレスレットから読み取ったのは呪いだけでなく、マリエルの切実な想いもである。

『お父様に娘だと認めてほしい……娘として愛されたい……』

ブレスレットの水晶がオデットにそう語りかけてきた。

見捨てられたと思って母親とふたりで暮らしていたところ、父親が急に会いに来てくれてマリエルはさぞ嬉しかったことだろう。

同時に、役に立てなければまた捨てられるという恐怖も感じたに違いない。

だから自分の命を削ってまで協力したのだ。

マリエルの想いを知っているオデットは悔しくて、両手を握りしめて抗議する。

「ブレスレットの力を使うたびにマリエルさんが衰弱していくのを、あなたは近くで見ていたはずです。ご自分の娘なのに心配にならないんですか？　マリエルさんにこんな可哀想なことさせないでください！」

格下の没落貴族令嬢に食ってかかられ、インペラ宰相の怒りが頂点に達したようだ。

鬼の形相で振り上げた拳にオデットが悲鳴をあげたら、腕を強く引っ張られて体が後ろに傾いた。

すっぽりと収まったのはジェラールの胸の中で、宰相の拳は空を切る。

ホッとしたのは一瞬だけで、今度はステージの下から国王の怒声が轟いた。

「騎士を呼べ、無礼千万なその娘を連行しろ！　サラ様は聖女だ。わしは喉から手が出るほど聖女が欲しい。聖女サラ様を認めない者は全員投獄する！」

マリエル自身が偽聖女だと認めたというのに、なにを言いだすのか。

貴族たちは国王の乱心に驚き戸惑っているが、その理由を知っているジェラールは慌てず、しかし険しい顔をしてステージを飛び降りると父親に駆け寄った。

「父上、目を覚ましてください」

国王の上着の袖についているのは、ターコイズのカフスボタン。ジェラールが力尽くでそれを引きちぎり、床に投げ捨てると、国王がハッと我に返った。

「わしは一体……」

憑き物が取れたような顔で周囲を見回した国王だが、記憶はあるようだ。額に片手をあてて青ざめ、自身の言動を信じがたい思いで振り返っているような雰囲気である。

「父上のせいではございません。呪いをかけられていたのですから」

「どういうことだ？」

「そのターコイズのカフスボタンです。呪術の気配がするとオデットが教えてくれました。砂漠の遭難者が水を求めるがごとく、聖女を強烈に欲するという呪いがかけられていたのです」

国王は目を見開いてカフスボタンに視線を落とし、それからステージ上のオデットを見た。

「そうか、オデット嬢がわしを救ってくれたのか」

その呟きはオデットの耳にも届いたので、慌てて首を横に振る。

「私は王太子殿下の推理の裏づけとして鑑定しただけですので」

謙虚かつ正直なオデットを国王は好意的な目で見て、「ふたりに感謝する」と言ってくれた。

ジェラールはオデットと笑みを交わしてから、面持ちに険しさを取り戻す。

「そのカフスボタンは父上の趣味とは違うように思いますが、どなたからの献上品ですか?」

「インペラ宰相だ。聖女降臨の話が湧いた数日前、わしが隣国を外交訪問しただろう。旅の護り石としてくれたのだ」

ターコイズはその昔、とある商隊がラクダの首につけており、そこから旅のお守りとして贈られるようになった。

騙されたと知って激怒した国王は、壇上で青ざめているインペラ宰相を呼びつけた。

慌ててステージを下りた宰相は、片膝をついて頭を下げる。

「忠誠心のある素振りを見せてももう遅いぞ。わしはそなたを信用し重用してきたというのに、なにゆえこのような真似をした」

インペラ宰相は国王が即位して三十年ほど、誰より近くで政治の補佐をしてきた右腕だ。最も信頼していた臣下に裏切られた国王の怒りと悲しみは、察するに余りある。

宰相は視線を泳がせ言い逃れの策を練っているように見えるが、ジェラールが弁明など不要とばかりに代わって答える。

「先ほども皆さんにご説明しましたが、レオポルド派から妃を出さないようにするためでしょう」

レオポルド派の貴族が政界に戻れば、自分たちの旨味が減る。自分の利権を守るために企てたに違いない。

国王は大きく息をつき、怒りを抑えて冷静になろうとしているようだ。

「インペラ宰相、なにか申し開きがあるなら言ってみよ」

しかし宰相は首を深く垂れるのみで言葉がない。

それが答えと受け取った国王が、落ち着いた声で沙汰をくだす。

「許しがたい所業だが、そなたには恩もある。長年、わしの補佐を務めてくれたことに感謝する。今後は己の領地に戻り王都に出向かぬように。穏やかに余生を過ごすといい」

政界からの引退のみで刑罰を与えないのは、かなりの温情と言えよう。

ホールに飛び交うヒソヒソ声はざわざわと大きくなる。

王太子妃問題に偽聖女、宰相の失脚にレオポルド派の貴族の政界復帰と、重大な変化がありすぎて貴族たちが受け止めるには時間が必要なようだ。

インペラ宰相はゆらりと立ち上がると、肩を落としてドアへと向かう。

「お父様……」

縋るような目をしたマリエルが後を追おうとしてふらつき、ステージから足を踏み外し倒れ込んだ。ブレスレットの度重なる使用で衰弱している上に、父親に否定されたショックもあってまともに歩けないのだろう。

近くにいた女性たちが驚いて悲鳴をあげたが、インペラ宰相の耳には入っていないようで、振り返ることなくホールを出ていった。

最初にマリエルに駆け寄ったのはオデットだ。

焦って膝をつき、細い体を抱き起そうとしたら、赤い雫(しずく)がポタポタと床に落ちた。

マリエルは額を切っており、痛みに呻いた後は脱力して意識を失った。

(脳震盪(のうしんとう)かしら。脳がダメージを受けていたらどうしよう……そうだ！)

オデットは近くに落ちていたブレスレットを拾って腕にはめると、マリエルの傷に手をかざした。

「お願い、治って」

心を込めて念じると青白い光があふれ、傷はたちまち消え失せる。意識もすぐに取り戻してホッとしたら、マリエルが信じられないと言いたげにオデットを見上げた。

「私、あなたにひどいことを言ったのに、どうして……？」

「水晶のブレスレットがあなたの純粋で綺麗な心を教えてくれました。マリエルさんは悪い人じゃありません。あなたは幸せになるべきです。どうかこれからは、ご自分を大切になさってください」

マリエルの瞳に尊敬の色が広がり涙をあふれさせたら、焦り顔をしたジェラールがオデットの腕からブレスレットを取り上げ、手の届かないステージ裏まで投げ捨てた。

「命を削ってまですることか！」

「ご、ごめんなさい。助けたくて焦ってしまって……。でも私、なんともないです」

目を瞬かせたオデットは、自分の体調に意識を向ける。

鼓動が三割増しで高まっているけれど、それはいつも優しいジェラールが叱るほどに心配してくれたせいである。魔具を使えば必ず代償があるはずなのに、どこにも異常はなく、それどころか内から活力があふれてくるようだ。

（どうして？）

マリエルは王城の使用人に抱えられ、医務室に向かうべく会場を静かに後にした。

それを見送ってからオデットは立ち上がり、ジェラールと向かい合って首を傾げる。

「もしかして私は、生命力があり余っているのでしょうか？」

「え？」

頭のいいジェラールでもわからないようだが、オデットは会場を見回して自分で答えを見つけだした。

「わかりました。ここには大勢の貴族の方々がいらっしゃるからだと思います。会場に入ってからずっとウズウズしていたんです。皆さん、素晴らしい宝石をお持ちなんですもの。鑑定したくてたまらない。倒れてなんかいられません！」

オデットは胸の前で手を組み合わせ、目を輝かせる。

右を見ればサファイアとダイヤモンドのイヤリングを揺らした貴婦人がいて、左を見れば大きなエメラルドのブローチを襟に留めた紳士がいる。

王妃の首を飾るのはいくつものダイヤモンドが雫のようにぶら下がる豪華さを極めたネックレスで、ここには貴族の人数分以上の贅を凝らしたジュエリーが輝いているのだ。オデットが興奮しないわけがない。

一件落着で緊張を解いた途端に宝石に夢中になるオデットに、ジェラールは呆気にとられていた。しかしその直後に肩を揺らして笑い声をあげる。

驚いたオデットがジュエリーから意識を離すと、頼もしい両腕に抱きしめられて鼓動が跳ねた。

「まったく君はなんて可愛い人なんだ。オデットを花嫁にできる俺は世界一、幸せな男に違いない」

ジェラールの長い指がオデットの顎をすくい、唇を奪った。

（みんなが見ているのに⁉）

恥ずかしくてジタバタするもキスが深くなるだけで逃れられず、たっぷりと十数秒、堪能されてからやっと放してもらえた。

真っ赤になったオデットは眉尻を下げて抗議する。

「私はまだ正式な婚約者ではありませんし、皆さんの前でこういうのはちょっと……」

偽聖女が現れる前は、晩餐会でオデットを社交界デビューさせて貴族たちに顔を覚えてもらい、それから婚約式と婚約発表の予定であった。

もじもじしながら順序が違うと話せば、ジェラールがハハと笑う。

「俺たちの関係が婚約発表前に周知されてしまったな。だが、それも悪くない。ほら、見てごらん。皆はもうオデットを受け入れている」

ジェラールが視線を横に振り、オデットもつられてホールを見回す。

国王はデザートを食べながら貴族たちと歓談している。

「やっと息子の妃が決まった。オデット嬢は気立てがよく純粋で正直だ。あのような娘に育てたログストン伯爵に礼状を書くとしよう」

などと言って笑っていた。

他の貴族たちも食事を再開させつつ、オデットの話題で盛り上がっている。

「いやはや驚きましたな。オデット嬢は魔具のブレスレットを使っても、お体に影響がないらしい」

「不思議なお嬢様ですわ。そういえばポワソンが出された時に前世はニホン人だと話されていましたのよ」

「誠ですか！　異世界のニホンからいらっしゃったということは、オデット嬢こそ真の聖女様では？」

（ええっ⁉　日本人だったのは前世のことで、癒しの力もないわ。それに聖女は召喚されて現れるものでしょう？　私は違うのに）

「あの、お話し中にすみません。私は聖女では――」

しかしジェラールに強く抱きしめられ、否定の言葉は彼の胸にモゴモゴと吸収されてしまう。

「勝手に思わせておけばいい。そうすれば俺たちの結婚に異を唱える者は出ないだろう。最速で婚姻の儀まで進められそうだ」

（いいのかしら……）

嘘をついているようで戸惑ったけれど、ジェラールが嬉しそうに笑っているのでそれでいいと思うことにする。

愛しい彼との未来がはっきりと見えてきた。

頼もしい腕に守られたオデットは、砂糖菓子のように甘くとろける夢心地に浸っていた。

＊　＊　＊

晩餐会から半年ほどが過ぎて季節は初夏。

ルネは、親友オデットがついに王太子妃となった喜びに胸を躍らせている。

それと同時に、ひと仕事終えたような達成感も味わっていた。

（やれやれって感じよ。オデットは鈍感だから私がふたりの仲を取り持ってあげなかったら、きっと今でも恋心に気づいてさえいなかったわ。功労者は私よね）

ここは王城の大邸宅にある豪華絢爛なダンスホール。

王太子の婚姻の儀は今日の午前中に行われ、午後はお披露目のパレードがあった。

そして二十時過ぎてから始まったこの舞踏会には、五百人ほどの貴族たちと、社会的地位の高い平民が招待されている。その中にルネとブルノとロイが交ざっているのは、オデットが招待してくれたからだ。

（できればオデットのウエディングドレス姿も見たかったけど、大聖堂に入れる人数は決まってるって言うし仕方ないわね。ま、オデットが幸せならなんでもいいわ）

ルネの着ている水色のドレスやジュエリーはオデットがプレゼントしてくれたもので、隣にいるロイの赤い蝶ネクタイつきの黒い夜会服もそうである。

舞踏会が始まって一時間ほどが経ち、会場の賑やかさは最高潮。宮廷楽団の奏でるワルツに乗って、貴族たちが優雅に舞っている。

煌びやかで色とりどりの女性たちのドレスはまるで花園か、それとも宝石箱か。

（場違いよね、ほんと）

ただのパン屋の娘であるルネは自嘲気味に笑ってシャンパングラスを傾け、フルーツをつまむ。

広々としたホールの入口に近い側には立食スペースが設けられていて、見たこともないご馳走が長テーブルにずらりと並んでいた。これが食べたいと指をさせば使用人が取り分け、『お嬢様どうぞ』と渡してくれるので、背中にむず痒さを感じる。

ロイはルネの隣で肉汁したたる絶品ローストビーフを頬張っていて、これで肉料理はほとんど制覇したのではないだろうか。

「ロイ、そんなにがっつくんじゃないわよ。恥ずかしい」

ルネが呆れて注意すると、ロイがソースで汚れた口を尖らせた。

「だって食べるしかすることないし、美味しいし、仕方ないだろ」

「あんたも踊る？」

「踊るなら相手はルネしかいないだろ。自分だって踊れないくせに、なに言ってんだ」

たしかにその通りだ。ワルツの輪に入っていけず、オデットとジェラールは忙しそうなので話しかけにも行けない。ブルノは招待客のバロ司教とワイングラス片手に談笑していて、ルネも食べる以外にやることがなかった。

（でも、ロイががっついている理由はそれだけじゃないわよね。まったく、いい加減に気持ちを切り替えて祝福してあげればいいのに）

ロイはふてくされた顔をしてホールの中央を見ていた。挨拶回りに忙しそうだったオデットとジェラールが、今やっとダンスの輪に加わったところだ。白に銀糸の花柄を刺繍した豪華で可愛らしい夜会服もダイヤモンドのティアラも、オデットによく似合っている。優雅にワルツのステップも踏んでいて、こうして見るとオデットは貴族なのだとつくづく感じた。

ローストビーフを食べきったロイは面白くない顔をして、ダンスに興じるふたりからプイと視線を外した。

（私だって寂しいわよ。オデットが遠くに行ってしまった気分で）

オデットは王太子妃教育を受けなければならなかったので、三か月ほど前に王城に住まいを移し、カルダタンの勤めも辞めた。忙しいだろうに無理して時間を作って時々会いに来てくれるが、親友の笑顔を毎日見られないのは寂しかった。

そんな自分の気持ちは隠して、ルネはロイのために明るくからかう。

「オデットに頼んでリリアちゃんも招待してもらえばよかったね。そうすればあんたもウキウキだろうし、私も子守りをしなくて済んだのに」

「なっ……リリアとはそういう関係じゃないから」

ロイの顔がトマトのように色づいた。

以前、イヤリングを修理してくれたお礼にと言って、ロイにシュークリームを渡しにきた女の子。オデットに少し似たリリアは、あれからもたまに手作りお菓子を持ってカルダタンにやってくる。

リリアがロイに恋しているのは明らかで、ロイもまんざらではない様子。

しかし照れくさいのかいつもぶっきらぼうな対応で、素直になれずにいるようだ。

ルネはふたりの恋路を今後もニヤニヤと見守っていくつもりである。

(ロイってからかいがいがあるのよ。つい楽しんじゃう)

ルネが苺(いちご)をつまんでパクリと口にしたら、隣に誰かが立った気配がした。

顔を横に向けると、スラリとした長身でブロンドの髪の貴公子がいた。

(どこの王子？　めっちゃイケメン。もろ私のタイプだわ)

頬を染めて目を丸くするルネに、彼は上品に微笑みかけた。

「お美しいお嬢さん、初めまして。私はバルレー子爵家の三男、フレッドと申します。よろしければバルコニーに出てお話ししませんか？　今宵は月も綺麗ですよ」

(嘘っ、私を誘ってるの？　これって玉の輿チャンスかも！)

ルネの目は美味しい獲物を見つけたとばかりに正直に輝いたが、フレッドはロイに注意を逸らしているので気づかない。

「そちらの、食欲旺盛な彼は……」

「弟みたいなものですのでお気になさらず。私はルネ。ぜひぜひふたりきりでお話を！」

＊＊＊

ルネがフレッドとふたりでバルコニーに向かっているのを、ダンス中のオデットが気づいた。

「ジェラール様、ルネが男性に連れられていきます。どうしましょう？」

貴族たち全員の顔と名前を覚えるにはまだまだ時間が必要で、オデットはルネと一緒の青年が誰だかわからない。

ルネは結婚詐欺師に引っかかったことがあるため心配すると、ジェラールが大丈夫だと笑った。

「バルレー子爵の令息、フレッド殿だよ。誠実な人だから安心していい。それにルネの方が積極的に引っ張っているように見えるけど」

「本当ですね。ルネがいい人に巡り合えてよかった。あ、でもロイがひとりぼっちになってしまいます」

ひとりにされてやけになっているのか、ロイは山盛りのサラミの皿と二人前のカットステーキの皿を手にして、フォークが持てずに困っている。

ハハと笑ったジェラールは踊りながら移動し、オデットの視界にロイが入らないようにした。

「君はもう俺の妻だよ。その翡翠のように綺麗な瞳に俺以外の男を映してはいけない」

甘い声で囁かれ、オデットは胸をときめかせる。

(私、本当に結婚したんだわ。儀式の流れや作法を覚えるのは大変だったけど、幸せな式だった……)

婚姻の儀が執り行われたのは、王都の中心部にそびえる荘厳な大聖堂。

歴史と趣(おもむき)を感じさせる鐘の音が響き、水色の初夏の空には白鳩の群れが飛んでいた。

貴族や近隣諸国の要人たち、たくさんの列席者に見守られたオデットは、涙でぐしょぐしょの父親とバージンロードを歩いたのだ。

この日のためにあつらえた純白のドレスはロイヤルワラントの縫製職人が五か月かけて手縫いで仕上げたもので、着るのがもったいないほど見事な衣装だった。

ベールは八メートルもあり、十歳くらいのベールガールに交ざって弟のリュカが母親と一緒にベールを持ってくれたのが嬉しく、胸が熱くなった。

バージンロードの先で待っていたジェラールの美々しさは言わずもがな。

彼の白い婚礼衣装は襟や袖に金銀の糸で精緻な刺繡が施され、いつもよりドレープの量が多いジャボには豪華なブローチが輝いていた。

美麗かつ堂々と頼もしい立ち姿のジェラールに、オデットはのぼせたようにぼうっとして、差し出された手を取るのをしばらく忘れたほどである。

永遠の愛を誓い合い、焦るほどの長めのキスをもらってオデットは喜びに頬を濡らした。

列席貴族の三分の一は、これまで排除されてきたレオポルド派の貴族たちだった。

彼らにはそれぞれに込み上げる思いがあったようで、寄り添うジェラールとオデットの姿に涙していたのも印象的であった。

婚姻の儀を振り返って幸せに浸っていたら、ジェラールに呼びかけられる。

「オデット？」

「あ、すみません。午前のお式を思い出してぼんやりしてしまいました」

最初は踊れなかったワルツは、ジェラールの特訓の成果で気を逸らしていられるほど上達している。

「きっと人生で一番幸せな瞬間ですね。一生忘れません」

頬を染めて微笑めば、ジェラールがオデットをさらに引き寄せた。

体がぴったりとくっついては踊りにくいというのに、どうしたのだろうか。

オデットが戸惑っていると、耳元でゾクゾクするほど色気のある声を囁かれる。

「たしかに挙式も幸せだったが、もっとオデットの記憶に残る瞬間が、この後に待っているんだよ」

「この後、ですか？」

舞踏会に余興は用意されていないはずで、挨拶回りとダンスを繰り返し、零時になったらお開きの予定である。

オデットが目を瞬かせたら、ジェラールがダンスに適切な距離まで体を離した。

「わからない？」

シャンデリアを映した琥珀色の瞳が蠱惑的に細められ、オデットの鼓動を高まらせる。

「オデットがこの屋敷で暮らし始めて三か月、俺は随分と悩ましいひとり寝の夜を過ごしてきた。だが今宵やっと、苦しい我慢から解放される。ああ、早く舞踏会が終わらないだろうか。真新しい夫婦の寝室を使うのが待ちきれない」

「あっ……」

そこまで言われてやっと意味を理解したオデットは、たちまち耳まで赤くなった。

「まさか、夜のことを忘れていた？」

「いいえ、あの、覚えてはいたんですけど——」

初夜について考えたら心臓が持ちそうにないので、できるだけ頭の隅に追いやっていた。今日はここまで過密スケジュールで、失敗のないよう務めを果たすのに精一杯だったというのもある。

「可愛い妻だ」

今から恥じらうオデットにジェラールはクスリとし、愛しげに見つめる。

「俺のオデット。どんな宝石より君が最も美しい。鑑定している時の凛とした瞳も、いつものおっとり柔らかい雰囲気も、赤の他人の心配事に心を砕く優しさも、君のすべてが魅力的だ。俺は君が輝き続けられるよう、全力で守ると約束するよ」

丸ごと受け止めてくれる彼の深い愛情に、翡翠色の瞳に涙があふれる。

目元を左手で拭ったら、潤いを得たダイヤモンドの指輪がさらに煌めいた。

この指輪は結婚に際してジェラールから贈られたものである。

三カラットのピンクダイヤで、ジェラールとしてはもっと大きな石にしたかったようだが、オデットが普段もずっとつけていたいから小さめがいいと希望したのだ。

とはいっても三カラットもあれば十分すぎるほど豪華で人目を引くのだが。

琥珀色の瞳が嬉しげに弧を描き、涙に濡れたピンクダイヤに彼の唇が触れる。

「愛している」

その言葉がまぎれもない本心であるとオデットは知っている。

彼の想いはピンクダイヤに色濃くしみ込んで、いつでもオデットにあふれるほどの愛情を教えてくれる。

「私も愛しています」

自分の想いも口にして微笑み合えば、彼とともに歩む未来が宝石よりも輝いて見える気がした。


【終】

あとがき

この文庫をお手に取ってくださいまして誠にありがとうございます。

今作はジョブ×恋愛、プラスちょっとだけ聖女というテーマで書いたラブファンタジーです。

今年の四月にも聖女ものを発売しておりまして、そちらは主人公が聖女という王道でシリアスな話なのですが、今作はヒロインをジョブ持ちにしたことで全く違う雰囲気の物語となりました。

どちらかというと、私は今作のほのぼのした雰囲気が好きです。

普段はぼんやり娘なのに、いざという時には特殊能力を発揮して活躍するオデットのキャラが気に入っています。私も特殊能力が欲しいです。

アンティーク品はどういう経緯で売られたものか、元の持ち主はどんな人かと私は気にしてしまうので、オデットのような能力があれば安心して手に取れそうです。

とはいっても、私はアクセサリーの物理的な刺激で痒くなってしまうので身につけられず……キラキラできなくてとても残念です。

この作品は全章通して楽しく書くことができました。

カルダタンでのほのぼのティータイムや、頑張って口説いているのに鈍感オデットに見事にかわされるジェラール。私の好きなシーンです。

皆様にもお気に入りのシーンを見つけていただけたらとても嬉しいです。

発売日付近はいつも楽しんでいただけるだろうかと心臓バクバクで、豆腐どころか豆乳メンタルな私です。あとがきを書いている今も、オデットが皆様に受け入れてもらえますようにと祈るような気持ちでいます。

最後になりましたが編集担当の須藤様、妹尾様、書籍化にご尽力いただいた関係者様、書店様に深くお礼申し上げます。

表紙を描いてくださった甘塩コメコ様、オデットの手に宝石が降ってくる構図が大好きです。ジェラールの悪だくみしていそうな微笑とオデットの柔らかい表情も素敵です。素晴らしいイラストをありがとうございます。

文庫読者様、ウェブサイト読者様には、平身低頭で感謝を！

またいつかベリーズ文庫で皆様にお会いできますように……。

藍里（あいさと）まめ

藍里まめ先生への
ファンレターのあて先

〒104-0031
東京都中央区京橋 1-3-1
八重洲口大栄ビル 7F
スターツ出版株式会社　書籍編集部　気付

藍里まめ先生

本書へのご意見をお聞かせください

お買い上げいただき、ありがとうございます。
今後の編集の参考にさせていただきますので、
アンケートにお答えいただければ幸いです。

下記 URL または QR コードから
アンケートページへお入りください。
https://www.berrys-cafe.jp/static/etc/bb

没落令嬢は今日も王太子の溺愛に気づかない
〜下町の聖女と呼ばれてますが、私はただの鑑定士です！〜

2022年7月10日　初版第1刷発行

著　者　藍里まめ

発行人　菊地修一
デザイン　カバー　ナルティス
フォーマット　hive & co.,ltd.
校　正　株式会社鷗来堂
編集協力　妹尾香雪
編　集　須藤典子
発行所　スターツ出版株式会社
〒104-0031
東京都中央区京橋1-3-1　八重洲口大栄ビル7F
TEL　出版マーケティンググループ　03-6202-0386
（ご注文等に関するお問い合わせ）
URL　https://starts-pub.jp/
印刷所　大日本印刷株式会社

Printed in Japan

乱丁・落丁などの不良品はお取替えいたします。
上記出版マーケティンググループまでお問い合わせください。
定価はカバーに記載されています。

ISBN 978-4-8137-1293-0　C0193

ベリーズ文庫 2022年7月発売

『最愛ベビーを宿したら、財閥御曹司に激しい独占欲で娶られました』 伊月ジュイ・著

イギリスを訪れた陽芽はスリに遭ったところを、経済的貢献により英国王室から「騎士」の称号を与えられた御曹司・志遠に助けられる。庇護欲から手を差し伸べたはずの彼は、ピュアな陽芽に惹かれ情熱的に迫ってきて!? 「陽芽の全部を手に入れたい」独占欲全開で愛を注ぐ志遠に陽芽は身も心も溶かされ…。

ISBN 978-4-8137-1288-6／定価737円（本体670円+税10%）

『因縁の御曹司と政略結婚したら、剝き出しの愛を刻まれました』 宝月なごみ・著

香木を扱う卸売問屋の娘・和華は、家業の立て直しのため香道家・光圀と政略結婚する。実は幼い頃に彼の不注意で和華が怪我をする事故があり、その罪滅ぼしとしても娶られたのだった。愛なき新婚生活のはずが、ひょんなことから距離が縮まり…「君が欲しい」──彼から甘く痺れる溺愛を注がれて…!?

ISBN 978-4-8137-1289-3／定価704円（本体640円+税10%）

『敏腕パイロットは純真妻を溢れる独占愛で包囲する』 皐月なおみ・著

大手航空会社でグランドスタッフをしている可奈子は、最年少で機長に昇格した敏腕パイロット・総司と結婚した。順風満帆の新婚生活のはずが、あることをきっかけに実は偽装結婚だったのではと疑いはじめる。別れを決意するも…「君を一生放さない」──なぜか彼からありったけの激愛を注がれて…!?

ISBN 978-4-8137-1290-9／定価715円（本体650円+税10%）

『激情に目覚めた御曹司は、政略花嫁を息もつけぬほどの愛で満たす』 蓮美ちま・著

社長令嬢の千花は失踪した姉の身代わりで、御曹司の颯真と政略結婚する。初恋相手の彼と結ばれ淡い幸せを感じるものの、愛のない関係を覚悟していた千花。ところが、新婚旅行での初夜、颯真は「もう抑えられない」と溺愛猛攻を仕掛けてきて…!? 「第5回ベリーズカフェ恋愛小説大賞」大賞受賞作!!

ISBN 978-4-8137-1291-6／定価704円（本体640円+税10%）

『離縁するつもりが、極上御曹司はお見合い妻を逃がさない』 佐倉伊織・著

院内学級の教師として働く蛍は、あるお見合いの代役を務めるが、お相手の津田に正体がバレてしまう。怒られるかと思いきや、彼は一年間の契約結婚を持ち掛けてきて…!? かりそめの結婚生活が始まるも「俺のものだって印をつけたい」──なぜか彼は蛍を本物の妻のように扱い、独占欲を刻みつけて…。

ISBN 978-4-8137-1292-3／定価737円（本体670円+税10%）

ベリーズ文庫 2022年8月発売予定

Now Printing

『お願い、全力で私を奪って』 田崎くるみ・著

公家の末裔である紅葉は政略結婚することになるが、自分の血筋だけを求める婚約者に冷たく扱われていた。ある日、警視庁出身のエリートSP・静馬が護衛につくことに。彼は暴言を吐く婚約者から全力で紅葉を守ってくれて…。健気な紅葉に庇護欲を煽られた静馬は、次第に深く激しい愛を溢れさせて!?

ISBN 978-4-8137-1302-9／予価660円（本体600円＋税10%）

Now Printing

『君も子供も離さない～カタブツ副社長の二度目の深愛～』 葉月りゅう・著

カフェで働く都は親に決められたお見合いに行くと、相手はカフェの常連客・嘉月だった。彼は大手IT会社の副社長で、意気投合し婚約する。しかもすぐに妊娠が分かり順風満帆だったが、ある事故がきっかけで彼の前から姿を消すことに…！　3年後、ひょんなことから再会し、子供ごと溺愛され!?

ISBN 978-4-8137-1303-6／予価660円（本体600円＋税10%）

Now Printing

『政略花嫁は夫の愛に気付かない』 吉澤紗矢・著

代議士の父を持つ澄夏は3年前にエリート官僚の一哉と結婚した。しかし父が選挙で落選。政略結婚の意味がなくなってしまい、離婚するべきか悩んでいた。追い討ちをかけるように、一哉には恋人がいることが発覚。彼から離れようとすると、一哉は抑えきれない独占欲を爆発させ、澄夏を激しく求めてきて…!?

ISBN 978-4-8137-1304-3／予価660円（本体600円＋税10%）

Now Printing

『意地悪な社長のペットな新妻～旦那様、約束の子作りには猶予をください！～』 Yabe・著

倒産寸前の家業を救うため、いきなりお見合いをさせられる愛佳。相手は大手不動産会社の御曹司・千秋で、断るはずがあれよあれよと結婚が決まってしまう。しかも、事業再建を助けてもらう条件は彼の跡取りを産むことで…!?　Sっ気のある彼にたっぷりと焦らし溶かされ、身も心もほだされてしまい!?

ISBN 978-4-8137-1305-0／予価660円（本体600円＋税10%）

Now Printing

『天才脳外科医にロックオンされました』 滝井みらん・著

製薬会社の令嬢であることを隠し、総合病院の受付で働く茉莉花。ある日、天才脳外科医・氷室の指名で脳外科医のクラークとして異動することに。過労で倒れた茉莉花を心配した氷室は、自分の住む高級マンションに連れ帰り、半強制的に同居がスタート。予想外の過保護な溺愛にドキドキが止まらなくて…!?

ISBN 978-4-8137-1306-7／予価660円（本体600円＋税10%）

タイトル、価格等は変更になることがございますのでご了承ください。